DE *EL MAESTRO DEL PRADO*, LA PRENSA HA DICHO

EN ESPAÑA

«En *El maestro del Prado* Javier Sierra ha sabido trasladar al lector
que cada obra de arte que conserva nuestro Museo permite
profundizar en el conocimiento de la Historia
y el pensamiento de un tiempo pretérito.»
Miguel Zugaza, director del Museo Nacional del Prado

«Una novela perturbadora.»
El País

«Asiduo del Prado desde la adolescencia, Sierra ha indagado
a fondo en los muchos misterios, claves y secretos que encierran
algunas de sus magistrales pinturas.»
El Correo Español

«Trasfondos históricos rigurosamente documentados,
enigmas por descifrar, lo sobrenatural impregnando el relato, una
importante dosis de acción y cierto desafío intelectual.»
El Cultural

«Tiende un puente a la cara oculta del arte.»
Hoy

«Un viaje que puede cambiar para siempre la percepción del arte del Renacimiento y que, sin duda, se convertirá en referente indispensable para todos aquellos visitantes del Museo del Prado que quieran ver más allá de las pinturas.»
Diario de Pontevedra

«Parece extraño, incluso una locura, pero basta mirar "como un niño" a las pinturas maestras de la pinacoteca madrileña para descubrir secretos y códigos ocultos que los maestros del Renacimiento encriptaron en sus textos.»
La Opinión de Zamora

«En esta novela de Javier Sierra, honesta, rigurosa y poética, vemos el alma del autor.»
Más Allá

«Es uno de esos escasos libros eternos, como lo es su epílogo, indispensable también para todo estudiante de la evolución del arte y del psiquismo colectivo.»
Año Cero

En Estados Unidos

«Esta historia fue escrita para aquellos de nosotros que creen que los museos son templos, que las bibliotecas son portales a otras dimensiones y que el arte es, en última instancia, un medio para la iluminación y el cultivo espiritual.»
Pam Grossman, *Phantasmaphile.com*

«Un relato personal, peculiarmente español, que confirma la verosimilitud de lo inverosímil.»
Publishers Weekly

«Sierra es a la vez un gran historiador del arte y un gran escritor, y estos dos mundos se fusionan en este maravilloso libro. En parte guía de mi museo favorito, en parte autobiografía novelada, la obra es un diálogo sobre los misterios del mundo del arte de la mano de genios como El Bosco, Tiziano o Rafael. Todos desvelan sus secretos a través del ingenioso ojo del autor.»
Noah Charney, autor de *El ladrón de arte*

«Javier Sierra ha construido con literatura una investigación profunda sobre el arte del Renacimiento, los artistas y sus misterios.»
Authorlink

En Japón

«El autor descifra las pinturas proféticas del Renacimiento desde un punto de vista extraordinario y de un modo ingenioso.»
Bijutsu No Mado, 美術の窓

«Una novela llena de originalidad y al mismo tiempo un libro de arte de buena calidad.»
Gekkan Bijutsu, 月刊美術

En Polonia

«Lo que Sierra sabe leer en los lienzos de El Bosco, Rafael Sanzio, El Greco o Tiziano nos traslada al mundo fascinante y hoy un poco olvidado del misticismo cristiano, las paradojas teológicas o las herejías, así como a las obsesiones religiosas de los monarcas españoles de aquella época.»
Dziennik Gazeta Prawna

Javier Sierra

El maestro del Prado
y las pinturas proféticas
Javier Sierra

 Planeta

© Javier Sierra, 2013
   www.javiersierra.com
© Editorial Planeta, S. A., 2016
   Avinguda Diagonal, 662, 6.ª planta. 08034 Barcelona (España)
   www.planetadelibros.com

Diseño de la colección: Booket / Área Editorial Grupo Planeta
Imagen de la cubierta: © Alejandro Colucci y Shutterstock
Fotografías del interior: Archivo LARA, AP, AESA, © Oronoz / Album, © Eric Lessing / Album,
   Akg-images / Rabatti, Album / Prisma, © Franck Raux / RMN-Grand Palais (Musée du
   Louvre), cortesía de la basílica de San Ambrosio, Sterling & Francine Clark Art Institute,
   Williamstown, USA / The Bridgeman Art Library / Index, © Francisco Alcántara Benavent /
   Museo de Bellas Artes de Valencia, © M. C. Esteban / Iberfoto, IGDA
Fotografía del autor: © Asís G. Ayerbe
Primera edición en esta presentación en Colección Booket: octubre de 2016

Depósito legal: B. 17.480-2016
ISBN: 978-84-08-16182-0
Impresión y encuadernación: EGEDSA
Printed in Spain - Impreso en España

A los «guardianes de sala» del Museo del Prado,
testigos del paso de tantos maestros anónimos.

Y a Enrique de Vicente, por veinticinco años
de amistad.

Lo que la lectura enseña al lector, las imágenes lo enseñan a los iletrados, a quienes sólo pueden percibir con la vista, puesto que en los dibujos los ignorantes ven la historia que deberían leer, y quienes no conocen de letras descubren que, en cierta forma, pueden leer.

GREGORIO MAGNO, papa, siglo VI[1]

Las cosas de perfección no hay que mirarlas con prisa sino con tiempo, juicio y discernimiento. Juzgarlas requiere el mismo proceso que hacerlas.

NICOLAS POUSSIN, pintor, 1642[2]

España, país de duendes y de ángeles, ha dejado su huella en las salas del Museo del Prado y en los viejos códices. También en el subconsciente de sus moradores, principalmente de los poetas.

JUAN ROF CARBALLO,
médico y académico, 1990[3]

El Prado es un lugar hermético, secreto, conventual, en donde lo español va metiéndose en clausura, espesándose, encastillándose.

RAMÓN GAYA, pintor, 1960[4]

Algunos de los nombres, lugares, situaciones y fechas que aparecen en estas páginas han sido novelados de forma deliberada para proteger ciertas fuentes sensibles de información y hacer así más accesible su contenido. Con todo, las referencias y datos relativos a obras de arte o literarias, sus autores y su contexto responden a la verdad..., si es que tal cosa existe cuando hablamos de Historia.

Este relato comienza con los primeros fríos de diciembre de 1990. He dudado mucho, muchísimo, sobre la conveniencia de publicarlo, sobre todo porque se trata de una aventura de fuertes connotaciones personales. Es, en definitiva, la pequeña historia de cómo un aprendiz de escritor fue enseñado a mirar un cuadro.

Como sucede con todas las grandes peripecias humanas, la mía también arranca en un momento de crisis. En aquel inicio de década, yo era un joven de provincias de diecinueve años recién llegado a Madrid que soñaba con abrirse camino en una ciudad llena de posibilidades. Todo parecía bullir a mi alrededor y tenía la impresión de que el futuro de nuestra generación comenzaba a dibujarse más rápido de lo que éramos capaces de percibir. Los preparativos para las olimpiadas de Barcelona, la Exposición Universal de Sevilla, la construcción del primer tren de alta velocidad, la aparición de tres nuevos periódicos nacionales o la llegada de la televisión privada eran la parte más visible de ese hervidero. Y aunque estaba seguro de que alguna de esas transformaciones exteriores iba a terminar afectándome, nada de aquello resultó importante para mí. Iluso, creía que la posibilidad de ganarme un hueco en el mundo de la comunicación —con el que flirteaba desde que era un niño— estaba a las puertas. De hecho, desde que me instalé en la capital hice lo imposible por visitar emisoras de radio, platós, ruedas de prensa, presentaciones de libros y redacciones de medios, tanto para conocer a los periodistas que admiraba como para hacerme a la idea de lo que iba a ser mi profesión.

Pero aquel Madrid pronto se convirtió en un lugar de alto voltaje.

Por un lado, mi instinto me empujaba a estar en sus calles, bebiéndome la vida. Por otro, tenía la responsabilidad de superar mi segundo año de universidad con la mejor nota posible y mantener la beca que me había llevado hasta allí. ¿Cómo iba a compatibilizar dos pulsiones tan dispares? Cada vez que levantaba los ojos de los apuntes, el tiempo se me escapaba de las manos. ¡Veinticuatro horas por día no me daban de sí! Pero quiero ser justo. La culpa de esa hemorragia horaria la tenían otras dos curiosas circunstancias: por un lado, un trabajo a tiempo parcial, primerizo, que un buen amigo me había conseguido en una revista mensual de divulgación científica que entonces estaba poniéndose en marcha; y por otro, mi pasión por perderme en las salas del Museo Nacional del Prado.

Fue en ese último escenario donde se forjaron los acontecimientos que me propongo relatar.

Quizá todo ocurrió porque sus galerías me ofrecieron lo que entonces más necesitaba: serenidad. El Prado —majestuoso, sobrio, eterno, ajeno a los trajines cotidianos— enseguida se me antojó un lugar rico en historia, cálido, a menudo lleno de gente que se presuponía culta y en el que podía pasar horas sin llamar la atención por ser de fuera. Además, era gratis. Quizá la única gran atracción de Madrid en la que no se pagaba por entrar. En aquel entonces bastaba con presentarse en sus taquillas con un documento de identidad español para acceder a sus tesoros.

Hoy, visto con la perspectiva que dan los años, creo que mi fascinación por el Prado se debió en gran parte a que sus cuadros eran lo único familiar de mi nueva ciudad. Sus fondos me habían impactado tiempo atrás, cuando los descubrí cogido de la mano de mi madre a primeros de los ochenta. Yo fui, claro, un niño con una imaginación desbordante, y aquella secuencia infinita de imágenes me electrizó desde la primera vez. De hecho, todavía recuerdo lo que sentí en aquella temprana visita. Los trazos maestros de Velázquez, Goya, Rubens o Tiziano —por citar sólo los que conocía por mis libros del colegio— hervían ante mi retina convirtiéndose en fragmentos de Historia viva. Mirarlos fue asomarse a escenas de un pasado remoto petrificadas como por arte de magia. Por alguna razón, esa visión de niño me hizo entender las pinturas como una suerte de supermáquina capaz de proyectarme a tiempos, lances y mundos olvidados que, años más tarde, iba a tener la fortuna de comprender gracias a los libros de viejo que compraría en las cercanas casetas de la Cuesta de Moyano.

Sin embargo, lo que jamás, nunca, pude imaginar fue que en una de aquellas tardes grises del final del otoño de 1990 iba a sucederme algo que excedería con creces ensoñaciones tan tempranas.

Lo recuerdo a la perfección.

El *incidente* que dio comienzo a todo tuvo lugar en la sala A del museo. Me encontraba absorto frente a la gran pared de la que cuelgan las Sagradas Familias del maestro Rafael —inclinado hacia esa que Felipe IV llamó *La Perla* por considerarla la joya de su colección—, cuando un hombre que parecía recién caído de un lienzo de Goya se situó a mi lado. Se había detenido a contemplar el mismo cuadro que yo. De hecho, su actitud no hubiera llamado mi atención de no ser porque en ese momento ambos éramos las únicas almas en la galería, teníamos más de treinta grandes obras maestras a nuestro alcance y, sin embargo, por alguna razón, los dos nos habíamos encaprichado de la misma.

Nos pasamos media hora contemplándola en silencio. Al cabo de ese rato, extrañado de que apenas se moviera, empecé a vigilarlo con curiosidad. Al principio registré cada uno de sus gestos, sus escasos parpadeos, sus resoplidos, como si esperara que de un momento a otro fuera a arrancar el cuadro de la pared y darse a la fuga. No lo hizo. Pero después, incapaz de deducir qué era lo que aquel tipo estaba buscando en *La Perla*, comencé a dar vueltas a ideas cada vez más absurdas. ¿Quería gastarme una broma? ¿Quedarse conmigo? ¿Presumir de erudición? ¿Asustarme? ¿Robarme? ¿O acaso estaba compitiendo en una especie de *tour de force* absurdo para ver quién de los dos aguantaba más frente al cuadro?

Casi huelga decir que mi compañero de sala no llevaba guía alguna en la mano. Tampoco el libro de moda por entonces, *Tres horas en el Museo del Prado*, de Eugenio d'Ors; ni parecía interesado en la cartela que explicaba la historia de aquel Rafael, ni cambiaba de posición para evitar, como yo, el molesto reflejo de los focos sobre la tabla.

El hombre en cuestión debía de rondar los sesenta. Era enjuto, sobrado de cabello pero entrado en canas; zapatos brillantes, bien vestido, con un elegante abrigo negro de tres cuartos y pañuelo al cuello, sin lentes, un grueso anillo de oro en el anular izquierdo, y dotado de una de esas miradas severas, oscuras, que a veces, pese al tiempo transcurrido, todavía creo sentir en mi espalda cuando regreso a esa sala. Lo cierto es que, cuanto más lo espiaba, más me atraía. Tenía algo. Un no sé qué magnético que era incapaz de definir, pero que estaba relacionado, de algún modo, con su capacidad de concentración. Supuse que era francés. Su rostro anguloso y rasurado le confería un tono docto, de elegante sabio parisino, que disipaba cualquier temor que yo pudiera albergar hacia un perfecto desconocido. Y la imaginación, claro, se disparó. Quise creer que quizá estaba junto a un profesor de instituto jubilado. Viudo, con todo el tiempo del mundo para dedicárselo a la pintura. Un entusiasta de los museos de Europa. Debía de jugar, por tanto, en una división muy diferente a la mía. Porque yo, como he dicho, sólo era un estudiante curioso. Uno con la cabeza llena de pájaros, amante de los libros de misterio, del periodismo y de la Historia, que debía regresar a su residencia universitaria antes de la hora de cenar.

Fue entonces, justo cuando estaba a punto de dejarle *La Perla* para él solo, cuando bajó de su nube y habló.

—¿Conoces esa frase que dice que el buen maestro llega sólo cuando el discípulo está preparado?

El tipo soltó aquello con un hilo de voz, como si temiera que alguien más pudiera escucharle. Casi me extrañó oírle pronunciar su sentencia en un castellano impecable.

—¿Es a mí?

Asintió.

—Claro que es a ti, hijo. ¿A quién si no? Dime —insistió—, ¿la conoces?

De aquel modo tan simple nació una relación —nunca me he atrevido a llamarla amistad— que se prolongaría durante unas pocas semanas. Lo que estaba por venir, y que me propongo referir con todo detalle, me estimuló para acudir tarde tras tarde, durante los últimos días del año y los primeros del siguiente, al museo.

Han pasado dos décadas largas desde mi encuentro con el hombre del abrigo negro y todavía ignoro si lo que aprendí de él, intramuros del Prado, a resguardo de los rigores del clima madrileño y lejos de mis preocupaciones mundanas, lo imaginé o me lo enseñó de veras. Nunca estuve seguro de su nombre auténtico, ni de su dirección, y mucho menos de su oficio. Jamás me dio una tarjeta de visita o su número de teléfono. Entonces yo era mucho más confiado que ahora. Bastó su invitación a mostrarme los arcanos ocultos de aquellas galerías —«si quieres, si tienes tiempo»— para que me dejara llevar por sus conversaciones y atendiera con un entusiasmo creciente las citas a las que me fue convocando.

Terminé llamándole el Maestro.

En veintidós años jamás he hablado en público de lo ocurrido. Nunca encontré la motivación suficiente para hacerlo. Sobre todo después de que un día, de repente, ese hombre dejara de esperarme en el Prado. Simplemente se esfumó. Su ausencia —brusca, absoluta, incomprensible— ha ido haciéndose más insoportable con el tiempo. Y aunque no consolidé ningún lazo especial con él, de algún modo se convirtió en una suerte de *padrino secreto* para mí, un aliado en mis primeros momentos en la gran ciudad. La encarnación de un enigma. *Mi enigma.* Quizá por eso, por nostalgia, por cómo aprendí a ver —no sólo a contemplar— algunos cuadros del museo a su lado, sea ahora el momento de contar cómo fui iniciado en ciertos arcanos del arte.

Quiero creer que no he sido el único en pasar por una experiencia así y que, tras la publicación de estas páginas, aparecerán otros que también fueron *iluminados* por este u otros maestros evanescentes.

Pero antes de proseguir, vaya por delante una advertencia: no crea el lector que lo que viví en mi primera juventud ha suspendido de algún modo mi sentido crítico hacia lo que recibí en aquellas citas. Al contrario. Al trasladar a letra impresa las enseñanzas de este maestro, no pocas se me antojan extrañas, casi sacadas de un sueño. Sin embargo, después de revisarlas he comprendido que bastantes han ido empapando con discreción, en pequeñas dosis, algunas de mis mejores novelas. El eco de sus comentarios atraviesa novelas como *La dama azul*, *Las puertas templarias* o *La cena secreta* hasta extremos que el lector más atento percibirá de inmediato.

Es de justicia, entonces, que a ese oportuno visitante del Prado y a los de su estirpe, a esos maestros y a esos libros que siempre llegan cuando estamos preparados para comprenderlos, dedique esta obra con gratitud, esperanza de reencuentro y afecto.

1

El maestro del Prado

Comenzaré, pues, por el principio: Érase una vez la duda.

¿Y si aquel tipo fue un fantasma?

Los que me conocen saben de mi inclinación a atender a historias en las que lo sobrenatural termina decantando la balanza del relato. He escrito mucho sobre ellas y creo que seguiré haciéndolo. Pese a que en Occidente vivamos en una sociedad cada vez más materialista que desprecia lo trascendente, no creo que haya nada de lo que avergonzarse: Poe o Dickens, Bécquer, Cunqueiro o Valle-Inclán también se dejaron arrastrar por la fascinación que ejerce lo que se ignora. Todos escribieron sobre almas en pena, sobre aparecidos y sobre el más allá con la vaga esperanza de explicarse el sentido del más acá. En mi caso, según he ido madurando, he descartado muchas de esas historias y me he quedado apenas con aquellas protagonizadas por personajes que determinaron el devenir de nuestra civilización. Contemplado desde esa perspectiva, lo inefable deja de ser anecdótico para convertirse en fundamental. Por eso nunca he escondido mi interés por los encuentros entre grandes figuras de nuestro pasado y esos «visitantes» surgidos de ninguna parte. Ángeles, espíritus, guías, daimones, genios o tulpas... Qué más da cómo los llamemos. En realidad se trata de etiquetas que enmascaran una ignorancia absoluta sobre ese «otro lado» del que nos hablan todas las culturas.

Algún día —lo prometo— escribiré sobre lo que vivió George Washington cuando confesó haberse tropezado con uno de «ellos» durante su campaña militar contra los ingleses, en el valle de Forge, en Pensilvania, en el invierno de 1777, que desembocó en la independencia de Estados Unidos. O sobre el papa Pío XII, que no pocos sostienen habló con un ángel de otro mundo en los jardines privados de la Santa Sede. Son episodios cuya presencia puede rastrearse hasta los orígenes mismos de la cultura escrita y que a menudo nos traen advertencias para el futuro. Tácito es un buen ejemplo de ello. En el siglo I, este notable político e historiador romano refirió el tropezón que tuvo el ahijado y asesino de Julio César, Bruto, con uno de estos intrusos. Un fantasma le pronosticó su derrota final en Filipos, Macedonia, y su profecía lo sumió en tal desesperación que prefirió arrojarse sobre su espada antes que afrontar su destino. En casi todos estos casos, el visitante fue alguien de aspecto humano que sin embargo irradiaba algo invisible y poderoso que lo hacía diferente a nosotros. Justo como esos *mensajeros* sobre los que he escrito en *El ángel perdido*.

¿Quién o qué fue, entonces, el inesperado maestro que encontré —o mejor, que me encontró— en el Prado?

¿Acaso uno de «ellos»?

No estoy seguro. Mi fantasma era de carne y hueso. De eso no albergo dudas. Y tampoco de que, tras pronunciar aquel proverbio sufí —«El buen maestro llega sólo cuando el discípulo está preparado»—, me tendió la mano, la estreché y se presentó dándome su nombre y apellido.

—Soy el doctor Luis Fovel —dijo sosteniendo la mía con firmeza, como si no quisiera soltarla. «Origen francés», deduje. Su tono de voz era grave. Hablaba con contundencia pero respetando a la vez el silencio del lugar en el que nos encontrábamos.

—Y yo Javier Sierra. Encantado. ¿Es usted médico?

Recuerdo que el hombre arqueó entonces las cejas, como si la pregunta le divirtiera.

—Sólo de nombre —dijo.

Algo en su tono delató sorpresa. Quizá no esperaba que aquel jovencito respondiera con una pregunta. Quizá por eso se apresuró a tomar el control de la conversación mientras me dejaba un frío de muerte en la palma de la mano y volvía a posar los ojos en el Rafael.

—Me he fijado en cómo miras este cuadro, hijo. Y, bueno, me gustaría preguntarte algo. Si no te importa, por supuesto.

—Adelante.

—Dime —continuó tuteándome, como si me conociera de algo—, ¿por qué te interesa tanto? No es precisamente la obra más famosa de este museo...

Siguiendo su mirada, eché un nuevo vistazo a *La Perla*. Entonces no sabía mucho de esa tabla ni del extraordinario afecto que el rey español Felipe IV, quizá el monarca de gustos pictóricos más exquisitos de la Historia, tenía por ella. En el Prado tan sólo hay cuatro escenas salidas de su pincel, otras tantas de su taller y algunas copias de época. Pero de entre todas, sin duda, ésta es la mejor. En ella se ve a la Virgen y a su prima Isabel sentadas a los pies de unas ruinas cuidando de dos niños que, tras una larga contemplación, habían empezado a parecerme sospechosamente idénticos. Los mismos rizos rubios, la misma forma de la barbilla, los mismos pómulos... Uno, el que lucía un discreto halo de santidad y estaba cubierto por una piel de animal, era san Juan Bautista. Juanito en el argot de los expertos en arte. El otro, el único personaje sin aureola de la composición, no podía ser sino Jesús. Santa Isabel, la anciana madre del Bautista y con otra historia de embarazo milagroso a sus espaldas, observa al chiquillo de su compañera con gesto meditabundo, severo, mientras la mirada del pequeño Salvador se pierde en algo o alguien que está fuera del cuadro. No se trata de san José, que se afana allá al fondo en una actividad que es imposible determinar. Lo que quiera que contemple el Niño Mesías trasciende la propia tabla.

—¿Qué me interesa de este cuadro...? Buf... —Solté aire, sopesando una respuesta que tardé un par de segundos en articular—. En realidad, es algo bastante sencillo, doctor: conocer su mensaje.

—¡Ah! —La interjección alumbró su mirada—. ¿Es que no te resulta evidente? Estás ante una escena religiosa, hijo. Una pintura diseñada para orar ante ella. El obispo de Bayeux se la encargó al gran Rafael Sanzio cuando éste ya era un pintor famoso y trabajaba en Roma para el papa. Seguramente el francés había oído hablar mucho de él y de sus tablas de vírgenes y niños, y quiso regalarse una para su uso devocional.

—¿Y eso es todo?

El doctor arrugó la nariz como si mi tono incrédulo le divirtiera.

—No —respondió en voz baja, recurriendo a un tono más cómplice—. Claro que no. Con frecuencia, en cuadros de esa época nada es lo que parece. Y aunque a simple vista creas estar viendo una escena piadosa, lo cierto es que emana algo que desconcierta a todo el mundo.

—Sí. Puedo intuirlo —concedí—. Pero no acierto a saber de qué se trata.

—Así funciona el arte verdadero, hijo. Paul Klee dijo una vez: «El arte no reproduce lo visible; hace visible.» Si la pintura sólo reflejara lo evidente, resultaría tediosa, cansina, y terminaríamos por no darle valor alguno. Dime, ¿tie-

Sagrada Familia, llamada *La Perla*. Rafael Sanzio (1518). Museo del Prado, Madrid.

nes un momento para que te explique qué es lo que hace *exactamente* de este cuadro algo tan especial?

Asentí con la cabeza.

—Muy bien. Pues aquí va lo primero que debes saber: aunque no seamos conscientes de ello, los europeos llevamos siglos educándonos a través de mitos, cuentos e historias sagradas. Son ellas las que conforman nuestro verdadero patrimonio intelectual común. Bien porque las hayamos escuchado en misa, o de boca de nuestros padres, o porque las hayamos visto en el cine, todos conocemos con más o menos detalle qué les ocurrió a Noé, a Moisés, a Abraham o a Jesús. Y aunque no seamos creyentes, sabemos qué se celebra en Navidad o en Semana Santa, podemos recitar de memoria los nombres de los Reyes Magos y hasta reconocemos a un gobernador romano tan insignificante para la Historia como Poncio Pilato.

—Pero ¿eso qué tiene que ver con el cuadro? —le interrumpí.

—¡Muchísimo! Cuando alguien como nosotros, educado en el Occidente cristiano, se detiene ante una obra como ésta, es capaz de reconocer de un modo u otro el relato que la ha inspirado. Pero amigo: si el cuadro nos cuenta algo que no encaja con lo que sabemos, o incluso lo contradice o lo cuestiona, aunque sea sutilmente, saltan todas las alarmas en eso que podemos llamar nuestra *memoria cultural.*

—Ya, pero... —Me quedé sin saber qué decir.

—Esta pintura te fascina porque lo que Rafael preparó para aquel obispo no está inspirado en ningún pasaje de la Biblia que conozcas. Tu cerebro, consciente o inconscientemente, lleva un buen rato buscando en sus «archivos» una historia a la que asociar esa imagen. Por eso llevas tanto tiempo «enganchado» al cuadro. ¡Y no la encuentras! Y si esto resulta desconcertante para ti, imagina cuánto más extraño debió de ser para la gente del tiempo de Rafael.

—Pero... —retomé mi frase— la Virgen, el Niño, Isabel y san Juan son personajes de los Evangelios. No hay nada raro en ellos.

—Bendita inocencia la tuya, hijo. Recuerda siempre esto: ten cuidado con lo que parece vulgar o común en el arte. A menudo los maestros utilizaron imágenes de aspecto inocuo para transmitir sus mayores secretos.

—¡Me gustaría tanto conocerlos! —suspiré.

—Yo podría explicarte algunos de los que esconde este museo. Si quieres. Si tienes tiempo.

—¡Claro que quiero!

—Entonces empecemos por este mismo —dijo ufano, como si acabáramos de firmar un contrato que nos comprometiera a ambos a hacer algo maravilloso—. Déjame explicarte algo más sobre la historia que nos cuenta esta tabla.

—Muy bien. Adelante.

—De los cuatro Evangelios que conoces, sólo el de Lucas da noticia del misterioso embarazo de la estéril y anciana Isabel. ¿La reconoces? Es esa mujer con turbante de ahí. Pues bien, Lucas nos confía su peripecia muy al principio de su libro. Dice que el ángel Gabriel se apareció a Isabel, esposa del sacerdote Zacarías, y le dio la noticia de que estaba preñada del futuro Juan el Bautista. Imagínate la reacción de su marido. ¡Los ángeles habían llamado a su puerta y le habían dado el vástago que la naturaleza les había negado en años de matrimonio...![5]

—Un momento —le interrumpí—, ¿ha dicho usted Gabriel? ¿El mismo que se apareció a María? ¿Ese que pintó Fra Angelico en la *Anunciación* que está en la sala contigua?

—El mismo. Es un ángel muy curioso, ¿sabes? Es venerado por cristianos y musulmanes por igual. En el Renacimiento lo llamaban «el Anunciador» porque, aunque sólo aparece mencionado cuatro veces en los Evangelios, siempre lo hace como portador de mensajes fundamentales...

El doctor Fovel carraspeó antes de continuar, forzando su voz a la baja.

—...Pero no quiero hablarte de ángeles. En lo que me gustaría que te fijaras es en las dos protagonistas femeninas de *La Perla*. Además del episodio del embarazo de Isabel, Lucas sólo menciona a esa mujer en otra ocasión: cuando visita a María *estando ambas embarazadas*. Rafael representó ese momento en otro gran cuadro de este museo.[6] En esa obra, Isabel aparece con el mismo turbante y el mismo rostro que un año más tarde el maestro utilizará en *La Perla*. Aunque lo que de verdad desconcierta es que Rafael se atreviera a imaginar y pintar un encuentro posterior, con ambos niños ya nacidos, y del que no existe ni una sola línea que lo justifique en todo el Nuevo Testamento.

—¿Está usted seguro de eso?

—Completamente, hijo. La única visita que describe Lucas se produjo cuando ambas mujeres estaban encintas. No después. El evangelista, además, proporciona algunos detalles curiosos para subrayar esa circunstancia, como que el futuro san Juan dio un salto en el vientre de su madre al escuchar la voz de la Virgen.[7] Por tanto... —el hombre tomó aire, haciendo una pausa que me pareció teatral—, que las dos se reuniesen con los niños ya nacidos para verlos jugar procede, por fuerza, de alguna fuente extrabíblica. De un apócrifo o de algún otro texto que le resultaba digno de admiración.

—¿Y si Rafael se inventó esta escena y ya está?

—Lo que tú llamas inventar —me corrigió al punto— nunca estuvo en la mentalidad de aquella época, Javier. Entonces, la *inventio* equivalía a descubrir. Siempre se refería a

La Visitación. Escuela de Rafael (1517). Museo del Prado, Madrid.

algo real, que existía. Por eso el *divino Rafael* trabajaba siempre por encargo y bajo supervisión. Tenía fama de pintor culto, de los que dedicaban mucho tiempo a contextualizar cada una de sus composiciones. Es decir: se remitía a lo que había. Y como gran lector que fue, conocía disciplinas tan dispares como la arqueología, la teología o la filosofía, y gustaba de tomar sus referencias de fuentes literarias veraces.

—Entonces, si acepto ese criterio, esta tabla bebe de una fuente oculta. Esconde un mensaje que difiere de la ortodoxia.

—¡Exacto! —El maestro reaccionó con entusiasmo. Su tono quebró por un momento la paz de la sala. Al instante, uno de los bedeles se asomó con un libro en la mano, nos echó un vistazo con gesto de desaprobación y se perdió museo adentro, seguramente molesto por haber perdido el hilo de la lectura—. ¿Sabes? Vivimos tiempos en los que los mensajes del arte parecen no importarle ya a nadie. Nos han hecho creer que lo único que interesa de éste es su aspecto formal, estético, los pigmentos o las técnicas empleadas, e incluso la biografía o las circunstancias personales del artista. Todo antes que preguntarnos por la *razón exacta* que llevó a la ejecución de una obra como ésta. Desde esa visión materialista del arte, prestar atención al mensaje equivale a adentrarse en lo especulativo, en lo inmaterial. Pero no es así. En realidad, es centrarse en el lado espiritual de la pintura, en su quintaesencia. Sin embargo...

—¿Sí?

—Sin embargo, para acceder a ella hay que contemplarla con mirada humilde. A fin de cuentas, lo milagroso (y este arte, como te explicaré, lo es) sólo resulta plenamente accesible a las mentes sencillas. Los que se empecinan en llenar su cabeza de datos y verdades grandilocuentes olvidan lo fundamental: que este arte funciona sólo cuando maravilla.

—Eso es fácil decirlo. El arte es una experiencia subjetiva. No todos se asombran ante las mismas cosas...

—Tienes razón. Sin embargo, los grandes maestros manejaron y experimentaron con «códigos» sutiles que indican su intención de transmitir algo más en sus obras.

—¿Códigos como qué, doctor?

Creo que mi pregunta gustó a Fovel, porque de inmediato me pareció que se erguía para responder:

—Por ejemplo, las miradas de los personajes de los cuadros. ¿Te has fijado en la del pequeño Jesús de *La Perla*?

—S... Sí, claro —asentí como si aquel hombre hubiera leído mi pensamiento.

—Cuando un genio como Rafael pinta al Salvador con la mirada perdida más allá de las coordenadas del lienzo, está indicándonos que su obra busca el asombro de lo místico. De algún modo deja que sea el espectador quien se imagine qué es lo que capta la atención del niño. Y ahí nace la reflexión por lo sobrenatural.

—¿Y ese código lo utilizaron muchos pintores?

—Muchos, hijo. Este museo está lleno de ejemplos. Sin ir más lejos, si das con *San Francisco confortado por el ángel músico*, de Francisco Ribalta, enseguida verás que la mirada del santo se eleva por encima de la aparición que retrata el artista. El «código» está diciéndonos que lo sobrenatural, lo que verdaderamente asombra al religioso, está más allá del lienzo. Es también el caso de *San Agustín entre Cristo y la Virgen*, de Murillo. Si un día lo buscas en estas salas, fíjate en que las figuras divinas que inspiran la visión del santo se encuentran detrás de él, lo que hace que san Agustín dirija sus pupilas hacia un lugar incierto. De algún modo nos está diciendo que está usando «los ojos del alma»,[8] y no los físicos, para percibir lo sagrado. En el siglo de estos pintores, todos conocían y respetaban ese lenguaje simbólico, sencillo de comprender incluso para nosotros, y que Rafael utilizó con maestría en esta *Perla*. ¿Lo ves?

Antes de continuar, el inesperado filósofo del arte con el que me había tropezado apartó sus ojillos vivaces del cuadro y los paseó por la galería. Tuve la impresión de que quería asegurarse de que seguíamos estando solos.

—Por cierto, ¿eres creyente, hijo?

Tardé un segundo de más en reaccionar.

—A mi manera... sí. Supongo... —murmuré como si la cuestión me avergonzara.

—Entonces, igual que Rafael. O que el obispo de Bayeux. No me parece que tengas que excusarte por eso. Al contrario. Todos ellos también fueron creyentes *a su manera*. En ningún caso católicos ortodoxos.

—¿Qué quiere decir?

—Llevo toda mi vida tratando de penetrar en los cuadros de este museo. Y, ¿sabes?, la mayoría sólo se vuelven accesibles cuando comprendes en qué creían realmente sus artífices, asumes el contexto en el que fueron pintados o tienes presente que hubo tablas, como ésta, que se pensaron para transmitir, conservar o recordar ideas que era peligroso poner por escrito en su tiempo.

—¿Peligroso?

—En realidad, *muy peligroso*, Javier. —El doctor Fovel enfatizó sus palabras pronunciando mi nombre por segunda vez e invitándome con un gesto a leer la cartela que explicaba la obra al visitante. Era un texto desapasionado, aséptico, que aseguraba que parte de la ejecución de aquella tabla correspondía a Giulio Romano, un discípulo del taller rafaelita, y que en ella se apreciaba la influencia pictórica del mismísimo Leonardo da Vinci—. De eso quédate sólo con lo esencial: *La Perla* y *La Sagrada Familia del Roble*, que está también aquí, fueron pintadas en el estudio de Rafael en 1518. Ese texto no te cuenta que en esa época toda Europa, pero Roma especialmente, vivía con la sensación de que el modelo cristiano del mundo se encontraba al borde del colapso. La influencia de la Iglesia languidecía. El islam ganaba terreno a la vez que la corrupción y el nepotismo se instalaban en la Santa Sede. La curia estaba más que nerviosa por su futuro. Y por increíble que parezca, el descubrimiento de América, las nuevas nociones de astronomía que cuestionaban la visión geocentrista medieval, la invasión de Italia por los franceses de 1494, la revuelta de Lutero contra el papa o el temor al fin del mundo, que entonces muchos veían señalado por una gran conjunción planetaria que tendría lugar en 1524, estaban en la cabeza de todos. También en la de los pintores. Unos y otros creían estar viviendo una especie de fin de los tiempos. Y si no sabes todo esto, es imposible que penetres en el sentido profundo del cuadro.

—¡Menuda tarea!

—Parece colosal, sí. Pero de momento te bastará con saber que no había noble, clérigo o pontífice de principios del siglo XVI que no estuviera atento a las profecías y augurios que en esas fechas recorrían el continente. El caso de Rafael es notabilísimo, por cierto. Cuando pinta *La Perla* y *La Sagrada Familia del Roble* ha alcanzado la cima de su carrera. Tiene treinta y cinco años. Ha demostrado su cultura astrológica en los techos de los apartamentos privados del papa Julio II, en los que pintó una *Escuela de Atenas* formidable y llena de detalles sorprendentes, que demostraban su gran erudición. Pero debes saber que, mientras estaba elaborando estos cuadros —dijo señalando a las tablas que teníamos enfrente—, el maestro de Urbino trabajaba a la vez en la que iba a ser una de sus grandes obras maestras: el retrato de su mecenas, el papa León X, acompañado por los cardenales Giulio de Médicis y Luigi de Rossi. ¿Lo conoces?

Me hundí de hombros y resoplé.

—No importa —sonrió afable—. Pronto querrás verlo con tus propios ojos. Es una maravilla de lo que yo llamo la *pintura profética*. Un tipo de arte que en ese tiempo sólo practicaba abiertamente Rafael, atrayendo a su taller a los clientes más distinguidos. Verás: el cuadro del que te hablo se conserva hoy en la Galería de los Uffizi de Florencia y muestra al papa sentado detrás de una mesa, con una mano sobre una Biblia iluminada, unas lentes y una campanilla repujada al lado. En apariencia es un retrato de grupo. Uno de los más sobrios que puedas imaginar. Sin embargo, cuando Rafael lo pinta, León X acaba de salir indemne de un intento de asesinato. Cuando conoces ese detalle, casi puedes imaginarte por qué el papa tiene esa mirada de desconfianza que se pierde más allá de la pintura.

—Ajá. Usted cree que está buscando a quienes intentaron matarlo, ¿no es eso?... —susurré, seguramente pasándome de listo.

—En realidad, Javier, la identidad de su fallido homicida no era ningún secreto. El cardenal Bandinello Sauli se confesó culpable. Al parecer, había querido envenenar a León X porque en su horóscopo personal y en varios *Vaticinia Pontificum*, o profecías sobre los papas, muy populares en esos días, lo señalaban a él como el Santo Padre que regeneraría a la Iglesia. Y Sauli, claro, quería ser papa.

—Pero los papas no creen en horóscopos ni en profecías —protesté—. De hecho, la Iglesia condena la astrología...

El doctor Fovel sonrió ante tanta ingenuidad.

—¿Lo dices en serio? ¿No sabes que la primera piedra de la basílica de San Pedro fue colocada por Julio II el 18 de abril de 1506, después de que su astrólogo personal le indicase el momento cósmico más propicio para hacerlo? ¿O que en la misma estancia en la que Rafael pintó su famosa *Escuela de Atenas* incluyó en una esquina un orbe celeste con las constelaciones tal y como estaban el 26 de noviembre de 1503, día de la coronación de Julio II, a modo de horóscopo eterno?

Aquel alarde de memoria me dejó perplejo. El maestro, satisfecho por mi sorpresa, prosiguió:

—Ya veo. ¡No sabes nada! Déjame entonces explicarte mejor por qué digo que ese retrato de León X fue concebido como una pintura profética. Sólo dos años antes de que el cardenal Sauli intentara envenenar al papa, otro artista notable, Sebastiano del Piombo, inmortalizó al fallido magnicida en un cuadro que recuerda mucho al de Rafael. Lo pintó en 1516. En esa obra, Sauli posa sentado con gesto regio junto a otra mesa, otra Biblia iluminada y otra campanilla. Y como en el cuadro de su víctima, también hay varios personajes de confianza a su alrededor. Es evidente que este cardenal estaba preparando entonces su plan para convertirse en pontífice,[9] y que ese retrato formaba parte de lo que hoy llamaríamos su campaña de imagen.

—¿Y por qué Sauli no acudió a Rafael para que lo retratara, si era el pintor más cotizado de la época?

—Ésa es una observación excelente, hijo. De hecho, tal vez lo hizo. Aquí mismo, en el Prado, se conserva la única pintura del mundo que podría aclarar esa duda. Es el llamado *Retrato de un cardenal*. Se trata de una de las obras maestras indiscutibles de Rafael. Quizá uno de los cuadros más importantes de este museo. Muestra, con un realismo y un gusto por el detalle extraordinarios, a un purpurado de mirada severa a quien, por increíble que parezca, los expertos no han logrado todavía identificar. No es el único gran retrato del Prado del que desconocemos el nombre del modelo. Ahí tienes, por ejemplo, al *Caballero de la mano en el pecho* del Greco, del que se ha llegado incluso a decir que podría ser un retrato de Cervantes,[10] pero cuyo nombre real también nos es desconocido.

—Eso sí son misterios del arte en toda regla...

—Es cierto. Un retrato sin nombre es como una flor sin aroma. Le falta algo vital. Por eso, cuando los estudiosos tropiezan con una ausencia de esta naturaleza, les entra el vértigo y no tardan en plantear toda clase de atribuciones. Para nuestro cardenal, sin ir más lejos, han propuesto infinidad de nombres. Innocenzo Cybo, Francesco Alidosi, Scaramuccia Trivulzio, Alejandro Farnese, Ippolito d'Este, Silvio Passerini, Luis de Aragón... Pero mi apuesta es la mejor —sonrió pícaro—: si comparas este anónimo cardenal del Prado con el retrato de Sauli que hizo Sebastiano del Piombo en 1516, verás enseguida que se trata de la misma persona. No hay que imaginar mucho. Ambos tienen una barbilla partida gemela. La misma boca fina. Idéntica cabeza en forma de triángulo invertido. En definitiva, nuestro cardenal no identificado se ajusta como un guante al fallido magnicida de León X. ¿No te parece que mi propuesta desvelaría de una vez por todas uno de los pequeños enigmas de este museo?

—Quizá... —dije, más preocupado por otra observación—. Pero dígame, ¿sabría usted decirme cuándo fue pintado ese retrato, doctor? ¿Fue también hacia 1518?

—Bien —carraspeó—. Ahí tenemos otra clave interesante, cierto. Es muy probable que el retrato «anónimo» que conservamos en el Prado fuera concluido por Rafael entre 1510 y 1511, esto es, un lustro antes de que Sauli se postulara como Papa Angélico. Es curioso que el *divino Sanzio* lo inmortalizara tan influido por el retrato de la *Gioconda* que Leonardo estaba ejecutando en su taller en esas mismas fechas. De hecho, si lo comparas con la *Mona Lisa*, el cardenal tiene la misma posición y prestancia que ésta. Sin

Cardenal Bandinello Sauli, su secretario y dos geógrafos. Sebastiano del Piombo (1516). The National Gallery of Art, col. Samuel H. Kress, Washington D. C.

embargo, y esto es lo importante para nuestro caso, Rafael no incluyó en ese cuadro el atributo necesario que lo convertiría en un retrato profético. ¡Por eso el ambicioso cardenal Sauli tendría que buscarse a Del Piombo para retratarse como un hombre profetizado!

—¿Atributo? ¿De qué atributo habla?

—De las campanillas, hijo. Esas filigranas junto a las Biblias pintadas por Del Piombo y Rafael en sus retratos posteriores son una clara metáfora gráfica. Una señal. Con ellas quisieron decirnos que los protagonistas de ambos cuadros habían sido anunciados por los libros sagrados.

—¿Y pondrían un signo de profecía tan a la vista?

—Seguramente lo hicieron por una buena razón. En 1516, justo cuando el cardenal Sauli posó para Del Piombo como un enviado de Dios, acababan de editarse en Venecia unas hasta entonces muy perseguidas profecías escritas por un cisterciense calabrés llamado Joaquín de Fiore. En ellas se anunciaba la llegada de una nueva era espiritual para el mundo que sería liderada por un varón que reuniría en su mano el cetro del poder espiritual y el político. De Fiore había muerto en 1202 sin ver cumplida esa visión. Sus profecías, sin embargo, inspiraron otra en la que creyeron Sauli y León X a pies juntillas y que en ese año ya corría como la pólvora por toda Roma. ¿Alguna vez has oído hablar del *Apocalypsis Nova*, hijo?

Me encogí de hombros, temiendo parecer otra vez un perfecto estúpido.

—No te avergüences. Por desgracia, casi nadie recuerda hoy ese libro. Ni siquiera los historiadores del arte. —Otro gesto de picardía se le dibujó en ese momento en el rostro—. Y eso es porque fue una obra que nunca llegó a imprimirse, pero que, créeme, resulta fundamental para comprender a Rafael y su pintura.

Retrato de un cardenal. Rafael Sanzio (1510-1511). Museo del Prado, Madrid.

—¿Y qué profetizaba ese *Apocalypsis Nova*?

—Verás: entre otras cosas, anunciaba la inminente aparición de un *Pastor Angélico*, un papa tocado por el Espíritu Santo que se uniría al Emperador para imponer la paz entre los cristianos y detener el avance del islam. *Surget rex magnus cum magno pastore* —recitó solemne mientras yo me estremecía sin saber muy bien por qué—. Y eso iba a suceder, según el manuscrito, justo a principios del siglo XVI. Imagínate la situación. ¡La mitad de los cardenales de Roma, no sólo Sauli, pretendían ser ese pontífice todopoderoso! León X tenía razones para desconfiar *de todos*.

—Me sorprende que un papa, el guardián de la ortodoxia católica, concediera tanta autoridad a un libro de profecías...

—Digamos que le concedió la que merecía: la autoridad del arcángel Gabriel, nada menos.

—No..., no le entiendo, doctor. —La respuesta de Fovel había sido tan contundente que me hizo titubear.

—Pues que nadie en esa época, fuera papa o cortesano, dudaba de que el *Apocalypsis Nova* había sido escrito al dictado del arcángel Gabriel, el famoso «Anunciador» —sonrió—. Así lo dijo el beato Amadeo, el hombre que lo escribió de verdad, y así se aceptó.

—¿El beato Amadeo? Nunca he oído hablar de él.

—¡Eso tampoco me extraña, hijo! —exclamó sin llegar a reconvenirme—. Lo que estoy contándote es la intrahistoria del arte. Te estoy revelando cuál fue una de las grandes fuentes de inspiración de Rafael. ¿Sigo?

—Está bien, continúe, por favor.

—Amadeo fue un monje franciscano próximo a los círculos de poder del Vaticano que había llegado a ser nada menos que secretario personal y confesor de Sixto IV. Cuando Rafael pintó a León X, el pobre beato llevaba casi cuarenta años enterrado, pero su nombre y su obra eran más famosos que nunca. Copias a mano de ese libro circulaban por todas partes desde 1502. Se mantenían en secreto, claro. Sólo unos pocos podían leerlas. El caso es que algunas llegaron incluso a Madrid. Una de las más antiguas todavía se conserva en el monasterio de El Escorial desde tiempos de Felipe II.

—Pero ¿qué contaba ese libro, doctor? —pregunté muerto de la curiosidad.

La amplia frente de mi interlocutor se plegó como el fuelle de un viejo acordeón, engrandeciendo sus ojos claros y humedeciendo, con timidez acaso, su mirada.

—Al parecer, hijo, Amadeo recibió la visita del arcángel Gabriel y, durante ocho largos trances o *raptus*, éste le explicó cómo había creado Dios los ángeles, el mundo y el hombre. —Fovel calló entonces un instante, para proseguir—: Su libro era una *summa*. Un *libro del todo*. ¿Lo entiendes? Del «Anunciador», aquel fraile aprendió los mecanismos de la predestinación, los nombres de los siete arcángeles que protegían la entrada al paraíso y hasta conversaron sobre la muy franciscana idea (todavía no aceptada por la Iglesia) de la inmaculada concepción de la Virgen. Pero, sobre todo, en la cuarta de aquellas visiones hablaron de la llegada de un Pastor Angélico que salvaría al mundo de su deriva. Cuando Rafael retrató al papa, éste estaba más que al corriente de aquello; y muy interesado en presentarse al mundo, claro, como ese pastor profetizado.

—Es decir, que León X creía en la profecía del beato Amadeo porque le convenía...

—...y se mandó retratar por Rafael con un curioso guiño a ese libro —me acotó—. En cuanto tengas ocasión, hijo, busca una buena reproducción de ese cuadro y fíjate bien en el tomo que el papa tiene sobre la mesa. Se trata de una Biblia abierta por el Evangelio de Lucas. El mismo texto que en aquellos días estaba inspirando esta *Sagrada Familia* —dijo señalando otra vez a *La Perla*—. Las miniaturas que verás reproducidas en ella así lo demuestran.[11] Lo curioso es que el papa parece levantar con el dedo una página dejando un gran hueco bajo el papel. ¿Sabías que tanto el papa como el cardenal Sauli creían que el *Apocalypsis Nova* era la continuación revelada del Evangelio de Lucas? Por eso León X abre un hueco tras el texto de Lucas. El hueco para ese nuevo Evangelio. El que supuestamente predecía que él sería el esperado Pastor Angélico.

—¿Y no irá a decirme usted ahora que ese texto es también la fuente perdida de la que bebió *La Perla*?

—¡Precisamente!

Entusiasmado, no me dejó seguir hablando:

—El libro del beato Amadeo, en efecto, explica muchas cosas que no están en los Evangelios. Lo mismo da detalles inéditos del encuentro del joven Jesús con los doctores en el templo que narra la infancia del Buen Ladrón. Y precisamente uno de los asuntos en los que el arcángel Gabriel puso más énfasis en sus revelaciones fue la relación que tuvieron el Bautista y Jesús desde su tierna infancia. Comparado con las profecías que auguraban la llegada de un papa que unificaría el poder religioso y el terrenal en sus manos, ese aspecto resultaba poco menos que anecdótico para la curia... ¡Pero no para los pintores que lo leyeron! Y uno de ellos fue Rafael.

—¿Uno?

—Sí. El otro, Leonardo da Vinci. Y a éste, acceder a ese libro y pintar siguiendo sus enseñanzas casi le cuesta su carrera...

2

DESCIFRANDO A RAFAEL

El doctor Fovel detuvo su explicación en seco. Al principio no entendí por qué. De repente, mi locuaz *compañero de cuadro* se puso rígido, como si fuera una de las cercanas estatuas de bronce de Pompeo Leoni. Tuve la impresión de que había oído o visto algo que lo había puesto en guardia. Y, en efecto, en cuanto vimos aparecer por el extremo opuesto de la galería a un silencioso grupo de visitantes, palideció. No era muy numeroso. Tal vez siete u ocho disciplinados turistas que seguían a una guía de aspecto menudo que iba abriéndoles paso izando un paraguas plegado. Me fijé en ella sin poder apreciar nada amenazante ni en su actitud ni en su indumentaria. Al contrario. La buena mujer andaba pendiente de un caballero que iba rezagado del resto y que arrastraba con trabajo la pierna izquierda, como si la tuviese muerta y requiriera que la empujaran de tanto en tanto con los brazos. Pese a lo inocuo de la escena, pude sentir en la piel el miedo de Fovel. Un terror que no me pertenecía, pero que hizo que mi cuerpo temblara por segunda vez aquella tarde.

—Si vienes el martes, terminaré de contártelo —añadió en voz muy baja, evitando mirar directamente a los «intrusos»—. Sería bueno que regresaras con *La Virgen de las Rocas* de Leonardo en la retina. ¿De acuerdo?

—¿Ese cuadro está aquí?

Fovel me miró severo.

—No. Está en el Louvre —acotó—. En el Prado no tenemos ningún Leonardo. O eso dicen...

—¿Y cómo le encontraré?

—Búscame en esta galería. Siempre estoy. Y si por lo que fuera no me vieras, prueba en la sala 13. Es mi favorita.

Y así, sin más, sin despedirse siquiera, se perdió galería adentro, dejándome con la palabra en la boca.

Fue extraño. Sí. Y mucho. Sus últimas palabras me dejaron confundido. Las había pronunciado como si el museo le perteneciera. Y, sin embargo, su actitud ante la llegada de un puñado de turistas contradecía semejante sentido de la posesión.

Aquel domingo llegué tarde a la cena de mi colegio mayor. Había dejado el Prado alrededor de las ocho de la tarde, e impactado por aquel encuentro anduve hasta la parada de metro de Banco de España permitiendo que un breve aguacero me ayudara a volver a la realidad. Caminar por el Paseo del Prado arriba, sorteando charcos, guiado por las titilantes luces de la iluminación navideña, con la ropa empapada y buscando refugio para la lluvia bajo las cornisas del Museo del Ejército o el edificio de Correos, me sentó de maravilla. Tanto que ni siquiera cuestioné la media barra de pan y el filete de pollo frío que me dieron al llegar. Al contrario: lo agradecí. No tenía el cuerpo para sentarme a cenar con otros colegiales, pero me moría de hambre. Sin pensarlo, improvisé un bocadillo y subí corriendo a la habitación a devorarlo. Me deshice de mi abrigo calado, me duché y me puse algo cómodo. Esa noche me faltó tiempo para acercarme a la biblioteca. Por suerte no cerraba en época de exámenes. Tras un vistazo a sus estanterías, llené la mesa con una buena colección de libros de arte. Antes de ir a dormir quería comprobar con mis propios ojos si las

El papa León X y dos cardenales. Rafael Sanzio (1518). Galería de los Uffizi, Florencia.

cosas que el oportuno maestro del Prado me había dicho tenían o no algún sentido, por pequeño que fuera.

No demoré ni cinco minutos en encontrar el retrato de León X pintado por Rafael Sanzio. Los elogios del doctor Fovel se habían quedado cortos. La obra era una maravilla. Sus personajes reflejaban tensión, expectativa. Casi se los podía oír murmurar. La imagen ocupaba algo más de media página en la enciclopedia que tenía delante y, tal y como el maestro del Prado había dicho, podía verse al papa abriendo un sugestivo hueco en las páginas de una Biblia. «La metáfora del *Apocalypsis Nova*», susurré como si hubiera descubierto algo. Entusiasmado, repasé uno por uno los índices temáticos de aquellos volúmenes, pero, por desgracia, al cabo de casi una hora no había logrado dar con una sola entrada que se refiriera al beato Amadeo o a su libro. Aquel precario hallazgo, pues, había comenzado a disolverse como si fuera un espectro.

«Como el doctor Luis Fovel», barrunté.

Aparté enseguida aquella idea de la cabeza y decidí continuar mi exploración siguiendo otros rumbos. Cuando quise darme cuenta, eran casi las dos de la madrugada. Seguía sitiado por grandes libros de arte que mostraban láminas de Rafael, Sebastiano del Piombo y Leonardo, pero también por tratados de historia medieval. En cuestión de horas atesoraba ya más preguntas que respuestas, pero al menos había aprendido algunas cosas curiosas sobre el pintor que había retratado a León X al tiempo que *La Perla* del Prado. Me sorprendió no hallar ni un solo historiador que no alabase la temprana capacidad del divino Rafael para los pinceles. Algunos sugerían que había heredado el don de su padre, Giovanni Santi, un poeta y pintor de retablos de Umbría que pronto lo familiarizó con las diferentes expresiones del arte. Gracias a él, Rafael fue un joven precoz

44

que entró a trabajar muy joven como discípulo del Perugino, y fue éste quien encaminó sus pasos hacia la meca de los pintores de su tiempo: Florencia. Allí, siendo adolescente, tomó contacto con la profunda revolución filosófica y cultural impulsada por el gran antepasado de León X, Cosme el Viejo. Y en su nueva ciudad conoció a los antagónicos Miguel Ángel y Leonardo, y pronto se situó en primera línea de la revolución artística que se estaba labrando en su seno. Fue en esa época cuando comenzó a pintar una y otra vez variantes de la escena que lo haría famoso: las Sagradas Familias. Sus vírgenes son las más encantadoras que se hayan retratado jamás. Se trata de mujeres sencillas, jóvenes, hermosas y delicadas. Emanan una ligereza y una sensualidad cercanas. Pero, contra toda lógica religiosa, Rafael insistió en pintarlas casi siempre en compañía de dos bebés. «Ese san Juan y ese Niño Jesús no son, como en los Primitivos, piadosos ídolos encorsetados en su santidad», leí en uno de los tratados. «Son niños verdaderos, traviesos y alegres. Sin embargo, se adivina que algo misterioso y superior pasa entre ellos.»[12]

Tomé aquella frase como un buen indicio. Una pista que corroboraba lo que pocas horas antes me había mostrado el doctor Fovel en el Prado: que Rafael se servía de cierto grado de información misteriosa para componer sus obras.

¿Consistía ese misterio en pintar a Juan y a Jesús como si fueran hermanos gemelos? Yo, que en ese momento desconocía los océanos de tinta derramados para dirimir la existencia de un gemelo de Cristo, no lo veía tan raro. A fin de cuentas —deduje con mi conocimiento elemental de la Biblia—, si ambos niños habían sido concebidos por el mismo padre celestial, a través del mismo arcángel, era hasta lógico que hubiera pintores que quisieran hermanarlos estéticamente... ¿O no era ésa la razón? Además, por si fuera poco, el propio Lucas había mencionado que sus madres eran parientes *(syggenís)*. Y aunque los Evangelios no aclaran en qué grado, en la Edad Media se dio por hecho que se trataba de primas carnales. De ser eso cierto, el Bautista y Jesús serían, como poco, primos segundos, y su parecido físico estaría más que justificado.

Cómo no, esa noche también busqué una buena reproducción de *La Virgen de las Rocas*. Y siguiendo las instrucciones del doctor Fovel, me llevé otra sorpresa. No había una, sino al menos dos vírgenes de las rocas pintadas por Leonardo da Vinci. La más antigua la elaboró Leonardo hacia 1483, recién llegado a Milán, para decorar el altar mayor de la iglesia de San Francesco el Grande. Era una pintura serena, majestuosa, con clarísimos puntos en común con *La Perla* de Rafael —sobre todo en el modo en el que se agrupan sus personajes—, pero también con algunas diferencias muy notables. De nuevo me llamó la atención lo parecidos que eran Jesús y Juan en esa composición. Ambos se miran en una actitud poco infantil mientras la Virgen parece protegerlos y un ángel clava los ojos en el espectador al tiempo que señala a uno de ellos. Parece decir: «A ése es a quien debes prestar atención.» Y *ése* es el Bautista. Me intrigó que la mano del ángel desapareciera en la segunda versión del cuadro, hoy en la National Gallery de Londres. Y aún más que en esa versión posterior Leonardo decidiera subrayar las diferencias entre ambos pequeños, pintándolos con rasgos casi opuestos. En ambas pinturas, el paisaje en el que se desarrolla el encuentro entre los infantes es oscuro, como el de Rafael. Y poniendo unas junto a la otra —*Las Rocas* frente a *La Perla*—, no caben muchas dudas de la influencia que Leonardo ejerció sobre su más ferviente admirador.[13]

De todo lo que leí aquella noche en la biblioteca del

colegio mayor, nada me causaría tanta impresión como la descripción que Giorgio Vasari —pintor y biógrafo de pintores, contemporáneo de los grandes genios del Renacimiento— hizo de Rafael y de su posterior llegada a Roma. Sus párrafos fueron los que terminaron por convencerme de la existencia de un *misterio rafaelita*. Y es que, tras deslumbrar con su arte en la Florencia de los Médicis, su amigo Bramante lo reclutó para que trabajara en el colosal proyecto de reforma del Vaticano. Rafael tenía entonces sólo veinticinco años. Y allí, cuenta Vasari, «fue muy agasajado por Julio II y empezó en las Estancias de la Signatura una escena que representa el momento en que los teólogos reconcilian la filosofía y la astrología con la teología, en la que están retratados todos los sabios del mundo; y adornó esta obra con ciertas figuras, como las de los astrólogos que graban caracteres de geomancia y astrología en unas tablas que mandan a los evangelistas».[14]

La pintura que describe el cronista es, por supuesto, el célebre mural de *La escuela de Atenas*, que Rafael terminó hacia 1509, al tiempo que Miguel Ángel daba vida a los techos de la capilla Sixtina. Se trata de una obra llena de claves de lectura ocultas. Platón —situado en el centro— es en realidad un retrato fidedigno de su admirado Leonardo da Vinci. Pero es que el propio Rafael se autorretratará también en la escena. Lo hace mirando al espectador desde el lado derecho de la composición. Está junto a Zoroastro, el geógrafo Claudio Ptolomeo y un grupo de astrólogos. Y eso que nunca fue un secreto, y que incluso Vasari dijo que el artista logró «con la ayuda de un espejo»,[15] se complementa con otro pequeño enigma.[16] Muy cerca del autorretrato en el que Rafael se deja ver como astrólogo, se encuentra el gran matemático Euclides,[17] considerado padre de la geometría, y al que el artista pintó con el rostro de

La Virgen de las Rocas. Leonardo da Vinci (1483). Museo del Louvre, París.

La Virgen de las Rocas. Leonardo da Vinci (1497). The National Gallery, Londres.

Bramante, su gran mentor. El sabio aparece inclinado sobre una pizarra mientras enseña sus teoremas a un grupo de alumnos. Pues bien, sobre el cuello bordado de oro de su túnica, escondido entre los diseños del brocado, pueden verse cuatro pequeñas letras: RUSM. Hoy sabemos que se trata de la firma del artista. Y eso, aunque no nos lo parezca, fue toda una osadía. Me explicaré. Ningún pintor al servicio de la Iglesia tenía permiso en el siglo XVI para firmar sus obras. Ninguno. Las autoridades eclesiásticas que encargaban arte vigilaban ese extremo con celo. Decían que era para que el artista no cayera en el pecado del orgullo.

¿Y qué clase de firma era RUSM?

Muy sencillo: un acrónimo. Una palabra formada a partir de las iniciales de *Raphael Urbinas Sua Manu*, «[Hecho] por la mano de Rafael de Urbino».

El hallazgo me dejó pensativo. ¿Qué estaba diciéndonos todo aquello del gran Rafael? De repente lo tuve claro: que el autor de *La Perla* tuvo en vida una predisposición innata contra las normas impuestas. Que fue un rebelde. Alguien a quien, por alguna razón que me proponía averiguar, le complacía dejar pistas de sus ideas en lo que mejor sabía hacer: su pintura.

La escuela de Atenas. Rafael Sanzio (1509). Museos Vaticanos, Roma.

Detalles de *La escuela de Atenas* en los que se ve a Leonardo da Vinci retratado como Platón, a Rafael autorretratado entre los matemáticos, y el brocado de Euclides que esconde la misteriosa firma RUSM.

3

Apocalypsis Nova

Al día siguiente, lunes, amanecí algo más tarde de lo habitual. Abrí los ojos aturdido, con la sensación de haber estado vagando toda la noche entre viejas pinturas al óleo, pero con un recuerdo y una idea luminosa martilleándome la cabeza. ¿No había dicho el doctor Fovel que en El Escorial se guardaba una copia del libro que, según él, había inspirado algunas de las obras maestras de Rafael y Leonardo? Me froté la cara frente al espejo. ¿Y por qué no me acercaba a echarle un vistazo? A fin de cuentas, ese ejemplar estaba a menos de cincuenta kilómetros de Madrid. Otra cosa, claro, iba a ser que me lo mostraran, pero no perdía nada por intentarlo.

¿O sí?

Me vestí a toda prisa, metí un cuaderno de notas y mi fiel cámara fotográfica en una bolsa de tela y bajé las escaleras del colegio mayor saltando escalones de dos en dos. Nunca había sentido los vientos tan a favor. Mi oportuno encuentro con el doctor Fovel me había puesto en la pista de algo fascinante. Justo la clase de historia que iba a gustar en la revista para la que había empezado a trabajar algunas tardes. Además, los exámenes del primer trimestre habían terminado, las vacaciones de Navidad estaban cerca, y la idea de escaparme a la sierra de Madrid era un millón de veces más tentadora que la de estrenar la última semana lectiva del año en la facultad, con la cabeza perdida en lo que tendría que decirme el maestro del Prado cuando volviéramos a vernos.

Y por si aquellas razones fueran pocas, había otro interesante factor que añadir a la ecuación: tenía mi coche nuevo aparcado en el jardín trasero de la residencia. Era un flamante Seat Ibiza de tres puertas, rojo, que apenas había tenido oportunidad de mover en las últimas semanas. Que tuviera vehículo en Madrid justo en ese momento era casi un milagro. Me había sacado el carné de conducir en verano, pero hasta ese mes consideré más sensato dejarlo en casa de mis padres. Si ahora estaba conmigo era por una cuestión práctica: en sólo unos días pensaba cargarlo de ropa, libros y el ordenador y llevármelo todo de vuelta a casa por Navidad. El Ibiza zumbaba como una locomotora. Cada vez que lo arrancaba para desentumecerlo de las heladas nocturnas, echaba más humo que una central térmica. Una escapada a San Lorenzo de El Escorial por carreteras tranquilas le sentaría bien.

Aquel lunes, pues, todo encajó para que me lanzara en busca del *Apocalypsis Nova*. Sin embargo, lo que en modo alguno pude prever fue que ella también decidiera sumarse a la aventura.

Ella se llamaba Marina y, para ser sincero, no podía decirse que saliéramos juntos.

¡Ya me hubiera gustado!

La chica era una preciosidad. Una veinteañera rubia, de mirada verde, dulce, curiosa y muy simpática. Me arrebató el corazón el día que la vi moderar una mesa redonda sobre moda en el salón de actos de mi facultad, a mediados del curso anterior. Lo cierto es que acudí al evento por obligación, pero cuando la oí hablar con entusiasmo del «glamour» y de que ésa era la palabra irlandesa que utilizaban las hadas para describir los hechizos que te hacen ver la realidad de un modo diferente, supe que iba a tener mucho de que hablar con ella. ¡Y no me equivoqué! Marina era inteligente, de palabra fácil y muy coqueta. Pronto supe que era dueña de la colección de vaqueros más grande de la Complutense y que, si todo le salía bien, estaba a punto de ingresar en el equipo olímpico de natación. Pero lo que me había prendado de veras de ella era que mostraba una curiosidad infinita por todo lo que a mí me interesaba: desde la ciencia ficción o la exploración espacial hasta la Historia de Egipto o los misterios de la mente humana. Otra cosa era, claro, que yo fuese siquiera la sombra de su hombre ideal. Y es que, pese a mis ocasionales intentos por dar un paso adelante en nuestra amistad, siempre mantuvo una exquisita distancia entre nosotros. Cariño, todo. Amor, ya se vería. Y lo cierto es que nunca pude reprochárselo. Si en aquellos días previos al invierno yo había desatendido el coche por culpa de los exámenes y de algunos encargos menores de la revista, mi descuido hacia Marina había sido todavía peor. Alumna de segundo curso de Farmacia, su aula estaba a apenas trescientos metros de la Facultad de Ciencias de la Información donde yo estudiaba. Con todo y con eso, la mayoría de nuestras últimas conversaciones habían sido por teléfono.

—¿Que te vas a El Escorial? ¿Hoy?

Su voz hizo vibrar el auricular. Marina había tomado la costumbre de llamarme antes de ir a clase. Lo hacía en cuanto sus padres se iban a trabajar y la dejaban sola en casa. «Me gusta hablar contigo», decía a menudo. Yo lo sabía, ¡me encantaba!, y a las ocho y media, después del desayuno, la esperaba impaciente junto a la cabina que estaba en la recepción de mi residencia.

Esa mañana, con la bolsa de las cámaras preparada, a punto de salir, le conté mis planes.

—Sí... Eso he dicho. El Escorial —titubeé—. Quisiera verte esta tarde, pero ha surgido algo y...

—Pero ¡si me parece perfecto! —Su alegría me descolocó—. ¿Sabes qué? ¡Me voy contigo!

Hasta ese momento, Marina había sabido disfrazar bastante bien sus emociones. Nunca estaba seguro de si esos arrebatos de entusiasmo eran por mí o por las cosas que le contaba, pero en aquel momento quise creer que la opción correcta era la primera. Quizá pequé de ingenuo, pero, después de casi dos semanas sin vernos, pasar el día a su lado se me antojó el complemento perfecto a la aventura que empezaba.

—Puede que lo que tengo que hacer no sea muy divertido —le advertí sin convicción alguna—. Necesito consultar un libro en la biblioteca del monasterio para un artículo y...

—¿Qué? —Su voz saturó de nuevo el auricular—. ¿La biblioteca de El Escorial? ¿Además vas a la biblioteca del monasterio? ¿Y no me habías dicho nada?

—Sí. ¿Por qué?

—Bueno... Nunca la he visitado, pero en clase hablamos a menudo de ella.

—¿En serio?

—¡Pues claro! —soltó entre risitas—. Tengo un profesor de Historia de la Farmacia que dice que allí se guarda la colección de libros de medicina árabe, judía y amerindia más valiosa del mundo. Debe de ser mejor que la de *El nombre de la rosa*. ¡Y quiero verla!

Recogí a Marina en su casa antes de las once. Estaba guapísima. Había elegido un abrigo color crema, botas altas, sombrero y guantes de lana a juego. Parecía vestida para la misa del domingo y llevaba un perfume que olía a rosas. «Perfecta», pensé. Así pues, diez minutos más tarde, con el cielo encapotado amenazando nieve, los dos enfilábamos la nacional VI rumbo al noroeste de la capital. Sobre la marcha hicimos planes para almorzar en el Hotel Suizo de San Lorenzo y acercarnos pronto al monasterio a preguntar por el dichoso libro del beato Amadeo... y sus textos de medicina, claro.

Todo salió a pedir de boca. Marina no me recriminó haberla tenido abandonada en época de exámenes y yo aproveché el viaje para explicarle por encima qué era lo que andaba buscando. Puse especial cuidado en no asustarla con los detalles de mi encuentro con el maestro Fovel, aunque cuando le dije, medio en broma, medio en serio, que a lo mejor el extraño doctor era un fantasma, se mostró de lo más intrigada.

—¿Y no te da miedo? —preguntó.

—No, no... —sonreí—. Es un fantasma muy listo. Un gran conversador.

Como digo, tuvimos la suerte de cara: el monasterio, como el Museo del Prado, estaba cerrado los lunes a los turistas, pero no así el colegio de los agustinos, las oficinas administrativas y la zona de estudio y consulta de libros. Los visitantes que atravesaban la colosal lonja de losas de granito para entrar en aquel recinto eran muy diferentes a los de cualquier otro momento de la semana. El lunes era algo así como el día de los profesionales. Marina y yo no lo éramos —o no del todo—, pero nuestros carnés de estudiantes universitarios y mi credencial de la revista facilitaron enormemente los trámites. Mientras ella firmaba y dejaba su dirección y su número de teléfono particular en el registro de entrada, yo garabateaba en otro formulario la razón de nuestra visita: «Consulta del *Apocalypsis Nova.*»

—Muy bien, muchachos. Diríjanse por esa puerta hasta el final y enseguida verán las indicaciones para la biblioteca. Por favor, no se salgan del recorrido —nos advirtió sin atisbo de emoción la vigilante de seguridad.

Obedecimos.

Marina y yo alcanzamos la entrada de la biblioteca, situada en el primer piso, sobre el zaguán de la fachada principal, al final de unas escuetas escaleras de piedra con pasamanos de cordel. Recuerdo el eco de sus tacones repiqueteando durante el ascenso. Una vez vencidas, un hombre con hábito negro y gesto adusto nos recibió detrás de un mostrador decorado con guirnaldas y tarjetas navideñas.

—Buenos días. —El monje, de unos cuarenta y tantos años, rasurado, con una perilla negra muy vistosa, nos escrutó con severidad—. ¿En qué puedo ayudarles?

Para decepción de mi acompañante, no estábamos en el solemne salón de libros de cincuenta y cuatro metros de largo y siete ventanales, con techos decorados, esferas armilares y estanterías cerradas con sus tomos puestos de canto que podía verse en las postales de El Escorial. La sala a la que nos habían dirigido era más nueva y funcional. Una biblioteca con prensa del día, enciclopedias modernas y varios rincones con pupitres y lámparas individuales para los lectores.

—¿El *Apocalypsis Nova*? —El agustino de la perilla arqueó las cejas en cuanto leyó el impreso en el que volví a escribir el título que buscábamos—. ¿Es un manuscrito?

—De principios del siglo XVI..., creo —susurré.

—Está bien. Manuscritos e incunables se conservan en otra sección. Tendrán que acompañarme y trasladar su petición al padre Juan Luis. Él verá qué puede hacerse.

Solícito, el bibliotecario nos sacó de la recepción y nos

condujo por un pasillo interminable hasta una zona de despachos con vistas al Patio de los Reyes en la que hombres y mujeres compartían ordenadores. Todos vestían hábitos o llevaban batas blancas y guantes de algodón. La oficina del centro la ocupaba un monje que debía de tener no menos de setenta años. El anciano trabajaba con lápiz y lupa sobre un enorme misal con aspecto antiguo, y en su cubículo no se adivinaba el menor atisbo de tecnología.

—Hummm... —rezongó. Era evidente que nuestra visita había interrumpido su concentración. El padre Juan Luis tenía mi ficha en las manos y la miraba con atención mientras nuestro monje, sonriente por primera vez, regresaba a su puesto de trabajo—. Claro, claro. Conozco muy bien este libro.

Creo que el rostro se me debió de iluminar.

—¿De veras?

—Por supuesto. ¿Y por qué queréis verlo, si puede saberse?

—Eeeh... Estamos preparando un trabajo sobre libros raros para la universidad —dije tendiéndole por error mi credencial del Colegio Mayor Chaminade.

—¡Ah! ¡Eres colegial de los marianistas! —Sonrió de oreja a oreja antes de que pudiera cambiarla por el carné de la facultad—. Yo también vivo en una residencia de estudiantes. Aquí, justo al lado. La vida de colegial es fabulosa, ¿no te parece?

—¿Es usted... estudiante?

El agustino rió mi ocurrencia.

—Aquí uno siempre lo es. Ya ves, soy doctor en Historia del Arte y sigo entre libros, estudiando sin parar. Y sin ver el final.

—Admirable.

—No tanto —dijo quitándose importancia—. Con este

frío, concentrarse en un trabajo intelectual cerca de una estufa cunde mucho. ¡Pero eso ya lo sabéis! Si habéis venido aquí en busca de libros raros, éste es el mejor lugar del mundo para encontrarlos. Ese que pedís, por cierto, lo es. ¡Y además forma parte de la donación de don Diego!

—¿Don Diego?

—Don Diego Hurtado de Mendoza, jovencito —replicó haciéndonos una seña para que lo siguiéramos. El viejo, aunque algo encorvado y tan escuálido que parecía que iba a romperse bajo el peso de su sotana, emanaba de repente una energía envidiable—. ¿No sabéis quién fue? ¡Bah! Pero ¿qué Historia os enseñan en el colegio? Don Diego fue nada menos que el hijo mayor del capitán general que tomó Granada para los Reyes Católicos y el dueño de una de las bibliotecas más importantes de España. Se crió en la Alhambra. Eso sí lo sabréis, ¿no? —Nos miró de reojo—. Pues bien: cuando este gentilhombre murió, en 1575, sus libros, códices y manuscritos pasaron a manos del rey Felipe II. Y él, claro, los envió a la *Librería Rica* para que se los guardáramos. Justo aquí.

El padre Juan Luis nos guió hasta una estancia cerrada con llave y sin ventanas, invitándonos a pasar mientras accionaba las luces. Allá dentro olía raro. A rancio. Cuando los fluorescentes terminaron de cebarse, descubrimos un salón de unos cuarenta metros cuadrados cruzado por estanterías de madera atiborradas de volúmenes encuadernados en piel o atados como fardos, etiquetados y numerados.

—El texto que os interesa es, por cierto, uno de los más curiosos de esta colección. Y eso es decir mucho cuando se habla de la Real Biblioteca de El Escorial.

—¿Ah, sí? —terció Marina, sin poder cerrar la boca ante tanto papel viejo junto. Nunca había visto nada igual. Yo, la verdad, tampoco.

—No me imagino a Felipe II leyéndose todo esto...
—murmuré.

—Ah, bueno. —El anciano cabeceó divertido ante nuestra sorpresa—. La idea que seguramente tendréis de Felipe II es la que transmiten los retratos que le pintó Tiziano. Un hombre atormentado, siempre vestido de negro, apesadumbrado por los vaivenes de la vida política y muy católico. Os habrán enseñado lo comprometido que estuvo en las guerras contra los protestantes. Y contra los turcos. ¿No es cierto?

Asentimos.

—Pero lo que nunca cuentan en la universidad es que también fue un humanista, mostraba curiosidad por todo y llegó a tener ideas un tanto especiales.

—¿Especiales? ¿Qué quiere decir?

—¡Ay, hijos! ¡Qué imagen tan falsa tenemos de la Historia de España! —gruñó sin mirarnos—. Cuando salgáis de aquí, echad un vistazo, por curiosidad, a los medallones conmemorativos que cuelgan a la entrada de la basílica. Veréis que el gran monarca se presenta en ellos como rey de todas las Españas, las Dos Sicilias... *y Jerusalén*. Nuestro adusto Felipe estaba obsesionado con ese último título. Sólo eso explica que mandara construir este monasterio a imitación del templo de Salomón. ¿A que tampoco lo sabíais?

Marina y yo sacudimos la cabeza.

—Pero es que además —prosiguió— Felipe nutrió su biblioteca particular con cuantos tratados logró adquirir sobre ese monarca bíblico. La mayoría son libros extrañísimos, como uno que explica las visiones que el profeta Ezequiel tuvo del templo, o manuales de arquitectura y hasta de magia, alquimia o astrología, como los de Raimundo Lulio o san León III. Todos están aquí. Y en cuanto a las ciencias vinculadas al rey más sabio de la Historia, él las estudió con pasión. Nuestro Felipe quiso imitarlo en todo. ¡Hasta le puso *Salomón* a su perro favorito! —dijo dejando escapar una risita fugaz—. Por esta razón ese saber salomónico debía atesorarse aquí.

—...Y es de suponer que también por eso se interesó por el *Apocalypsis Nova*, ¿no? —inquirí.

—Muy bien, jovencito. Muy bien. Seguramente, don Diego se hizo con ese libro en Italia cuando fue embajador de su majestad en Roma. Diego Hurtado llegó a ser tan culto como su señor, o más. Algunos creen que fue el verdadero autor del *Lazarillo de Tormes*, imaginaos, y que estaba tan interesado como el rey por esas misteriosas profecías... ¡Ah! ¡Aquí está! —dijo el anciano extendiendo su brazo hacia una determinada balda.

Sin titubear, el padre Juan Luis extrajo de ella un grueso volumen de hojas de pergamino y lo colocó en manos de Marina. Era del tamaño de una novela moderna pero pesaba más de lo que aparentaba. El tomo había sido encuadernado en algo que al primer tacto me pareció seda. Un tejido oscuro, verdoso, de lujo, sobre el que no figuraba inscripción alguna.

—¿Y cómo sabe que ése es el libro que buscamos? ¡Aquí no hay ningún título! —preguntó Marina al sopesarlo.

—Bueno. Eso es muy curioso. Después de años en el olvido, el viernes pasado estuvo consultándolo otro investigador —dijo el fraile—. Igual trabajáis con él, ¿no?

Marina y yo nos miramos sin saber qué decir.

—No importa, no importa —prosiguió, guiándonos hacia un escritorio amplio que estaba en el centro de la habitación—. Ya sé que en estas cosas de historiadores cada uno va por su lado...

—Sí, claro, padre —asintió ella.

Pero yo no pude reprimir la curiosidad:

—¡Pues menuda coincidencia! No recordará usted el nombre de ese investigador, ¿verdad?

—¡Uy, no! Tengo una memoria reciente muy mala, hijo —me respondió llevándose un índice a la sien—. Si un nombre no tiene más de trescientos años y lo he estudiado de joven, me cuesta recordarlo. Aunque podría buscártelo, si lo necesitas.

El padre tomó entonces el viejo volumen de las manos de Marina, lo colocó sobre un atril y nos entregó unos guantes para que pudiéramos abrirlo.

—Por suerte para vosotros, éste ya no es un libro secreto —comentó—. Podéis leerlo sin restricciones.

—¿Es que antes no se podía, padre?

La pregunta de Marina, formulada con un tono inocente, fuera de toda sospecha, enterneció al agustino.

—Por supuesto que no —sonrió—. Es un libro de profecías, señorita, y en la época en la que fue escrito ése era un asunto muy sensible. *Políticamente sensible*, diría. Mira este folio, hija. Lee aquí. —Su dedo apuntó entonces a un pedazo de papel ceniciento adherido en la cara interior de la encuadernación—. Es una nota manuscrita de un antiguo prior de este monasterio. Tiene algo menos de dos siglos. El buen padre la escribió después de estudiarse lo que decía aquí.

Marina y yo nos inclinamos con curiosidad y leímos:

Estas y otras muchas proposiciones huelen más a delirios rabínicos que a revelaciones divinas; más a questiones impertinentes e inútiles de escuela, que a doctrina católica; y es la calificación más benigna que se les puede dar; por cuya razón mando y ordeno que este libro intitulado *Apocalipsis S. Amadei* se recoja y no se enseñe ni franque como hasta ahora por reliquia, ni aun como obra de mérito, porque ninguno le advierto. Mayo 5, 1815 / Cifuentes Prior / Póngase entre los MM. SS. de la Bibliotheca.

63

—Luego es cierto que estuvo escondido... —dijo Marina abriendo mucho sus ojos verdes.

—Cerrado a cal y canto —confirmó el viejo agustino—. Como tantos otros de esta sala. De hecho, fuimos la primera biblioteca de la cristiandad con una sección reservada. Y con toda la razón del mundo.

—Pero ¿durante cuánto tiempo no pudo leerlo nadie, padre?

—Uy. Para responderte a eso debería consultar en los registros. Aunque te diré que yo llevo aquí destinado casi veinte años y hasta esta semana nunca nadie me había pedido verlo.

—¿De veras? —Una punzada de curiosidad me pellizcó el estómago.

—De hecho, ni yo mismo lo había visto aún.

—Padre, por favor, cuando pueda, consulte esos archivos y averigüe quién ha solicitado ver este libro... ¿Podrá?

—Sí, sí... —aceptó algo extrañado por mi insistencia, mientras se guardaba bajo el hábito una hoja de cuaderno en la que acababa de garabatearle mi nombre y mi número de teléfono—. Descuida.

—Pero ¿podemos abrirlo ya o no? —nos cortó Marina.

—Claro, adelante. Por cierto, muchachos, ¿leéis latín?

—¿Latín? —me alarmé.

—Lo único en castellano de todo el *Apocalypsis Nova* es ese texto que acabáis de leer. Lo demás está escrito en latín. El lector que os ha precedido me contó que en España sólo existen tres ejemplares de dominio público de este libro, dos en la Biblioteca Nacional y éste. Y los tres fueron escritos en la lengua de Virgilio. Eso sí —sonrió con un indisimulado orgullo—, el nuestro es el más antiguo. ¿Habéis visto ya el título de la primera página? *Apocalipsis sancti Amadei propria manu scripta.*

Leí un par de veces la frase en pulcra caligrafía que señalaba el dedo del bibliotecario para cerciorarme de que la había entendido bien.

—¿Éste es... —titubeé— el libro original?

—¡Oh, no, no lo creo! —El viejo agustino chascó la lengua en un gesto que me pareció de desprecio—. Eso lo añadieron para darle importancia a la copia. Ni siquiera parece que el título sea contemporáneo al resto del libro. En estos folios veréis muchas caligrafías diferentes, de épocas diversas... Algunas son muy enrevesadas y casi imposibles de descifrar.

—¿Y usted, padre, cree que podría ayudarnos a leerlo?

Marina acompañó su petición apartándose un mechón de pelo del rostro y clavando su dulce mirada en el anciano.

El caso es que debió de parecerle sincera, porque el viejo agustino no lo dudó. Buscó unas sillas en las que acomodarnos y, sentado a nuestro lado, se colocó las gafas antes de ponerse a hojear el volumen con ayuda de una pequeña lupa de plástico.

El padre Juan Luis resultó ser un auténtico regalo de la providencia. Leía latín mejor que su lengua materna y además parecía saber algunas cosas del beato Amadeo. Aquella tarde, gracias a él, en la penumbra de la sala de manuscritos del monasterio de El Escorial, comencé a admirar a Juan Meneses (o Mendes) de Silva, Amadeo Hispano, Amadeo de Portugal, Amadeo de Silva o beato Amadeo, pues por todos esos nombres y alguno más fue conocido este hombre de familia portuguesa que nació en Ceuta en 1420 y murió a los sesenta y dos años en Milán.

Por lo que el padre Juan Luis nos refirió, Amadeo fue un místico nacido en el seno de una familia mística. Su hermana fue nada menos que santa Beatriz de Silva, fundadora de las concepcionistas, las «damas azules» que más tarde abanderarían la defensa de la inmaculada concepción de la Virgen hasta lograr su inclusión en el dogma católico. Supimos también que el beato Amadeo inició su carrera religiosa con los jerónimos del monasterio cacereño de Guadalupe, pero que, motivado por la idea de morir mártir, lo abandonó para afincarse en la Granada musulmana a convertir infieles. No lo mataron. Tuvo suerte. Seguramente lo salvó la creencia islámica de que los locos son hombres de Dios. Pero eso, claro, lejos de disuadirlo reafirmó su vocación misionera. A su regreso en tierras cristianas cambió sus hábitos por los de los franciscanos de Úbeda, y de ahí viajó a Asís, en Italia, donde estrenó una fulgurante trayectoria que lo llevó a fundar varios conventos propios —y a establecer incluso una variante de la orden, los *amadeístas*— para convertirse después en secretario personal del también franciscano Sixto IV... y en el profeta del Papa Angélico por excelencia.

Las explicaciones que el padre Juan Luis nos dio fueron magníficas. El beato Amadeo vivió obsesionado con la idea de que se acercaba el Juicio Final. Según él, eso iba a ocurrir en pocos años, así que conminaba a los lectores de su libro a estar atentos a las señales. De ellas, una me llamó la atención de modo especial: para Amadeo, cuando ese fin fuera inminente, la Virgen se manifestaría en todo su esplendor a través de imágenes pictóricas, de manera similar a como Cristo lo hace en la eucaristía. Y dejó escrito algo más. Que esos cuadros especiales obrarían milagros por doquier.[18]

Fue esa alusión a las pinturas la que me sirvió en bandeja mi siguiente pregunta al padre Juan Luis.

—Dígame, padre. —Me revolví en la silla, impaciente, tras casi una hora de charla—. ¿Cree usted que esa idea de la Virgen haciéndose presente en el arte pudo animar a pintores como Rafael o Leonardo a representarla tantas veces en sus cuadros?

—¿Rafael? ¿El maestro Rafael de Urbino? —Los ojos del anciano se levantaron del libro, abriéndose como platos—. ¿Y Leonardo... da Vinci?

Asentí.

—El Renacimiento italiano fue el tema de mi tesis, ¿sabéis?

—¿En serio? —dije sin poder creer en mi suerte.

—Pues sí... Y en verdad existe alguna que otra razón para pensar que esos grandes maestros leyeron con atención esta obra —respondió enigmático.

—¿Como cuál, padre? —insistió Marina, ahora también intrigada.

—Ahí tenemos el caso de *La Virgen de las Rocas*, por ejemplo... Hay detalles que nos hacen pensar que Leonardo pintó su famosa *ancona** inspirándose en las enseñanzas del beato —continuó, golpeando ahora las tapas del *Apocalypsis Nova* como para subrayar sus palabras—. ¿Sabéis quién le encargó esa pintura y para qué?... Coged cualquier libro de arte y encontraréis que siempre cuentan la misma cantinela: que Leonardo y los hermanos Ambrogio y Evangelista de Predis fueron contratados para pintar tres tablas con destino a la capilla de la Concepción de la iglesia de San Francesco el Grande de Milán. Os dirán que el contrato especificaba que la pintura central debía mostrar una Virgen con el Niño, rodeada de ángeles y de dos profetas,[19] y que las otras dos mostrarían apenas un coro de figuras celestiales cantando y tocando instrumentos. Pero al parecer, y por razones que esos libros no saben explicar, Leonardo incumplió su compromiso y entregó una obra total-

* *Ancona* es un retablo con la parte superior curva.

mente inventada por él... Yo, la verdad, después de haber estudiado este caso, no estoy tan seguro.

—¿Por qué, padre? —le rogué—. No nos deje así.

—Veréis: lo que nadie os dirá es que *La Virgen de las Rocas* se pintó sólo un año después de que muriese el beato Amadeo. Y tampoco que éste no sólo falleció en Milán, sino que unos años antes[20] había estado viviendo y escribiendo sobre sus visiones apocalípticas *a pocos pasos de esa iglesia.* —El agustino enfatizó la última frase alargando su pronunciación—. Y lo que es más importante, si cabe: sus funerales fueron oficiados en esos muros. En esa capilla. Lo que yo creo, jovencitos, es que a Leonardo le encargaron una pintura que honrara las ideas del difunto autor del *Apocalypsis Nova.* Lo del encargo de ese cuadro nunca hecho de la Virgen y los dos profetas no son más que paparruchas de los historiadores del arte...

—¡Un momento! —lo atajé—. ¿A qué ideas se refiere exactamente, padre?

—Bueno... —El padre Juan Luis sabía que tenía toda nuestra atención, así que, tranquilo, se quitó las gafas y se acarició el mentón antes de proseguir—. Hubo una idea en particular que el beato menciona al hablar del Bautista. Él creía que Jesús, de algún modo, nació inferior en magisterio a Juan, ya que éste fue quien lo bautizó en el Jordán y no al revés. Supongo que fue una forma de hablar. Una metáfora. Una manera sutil de criticar a la Iglesia de Roma, a la de Jesús y Pedro, que en esos años atravesaba un aciago periodo de corrupción e intrigas. De algún modo los franciscanos como el beato Amadeo abogaban por un regreso a la pobreza de Juan, el eremita, y a sus verdades de visionario del desierto. Este cuadro representaba el valor de esa opción.

«Una idea peligrosa», pensé recordando lo que el doctor Fovel me había dicho en el museo.

—¿Y todo se ve en esa pintura, padre? —preguntó Marina, incrédula.

—Pues ahora que lo dice el padre Juan Luis, ¡se aprecia bastante bien! —salté—. En el cuadro de Leonardo aparece un ángel que dirige la mirada hacia el espectador y que señala con el dedo a cuál de los dos pequeños debemos admirar. Y es a san Juan al que apunta. No hay duda.

—Y no sólo eso, hijo —me acotó el agustino—. Cuando Leonardo explicaba el significado de esa obra, decía que representaba un encuentro entre los dos niños anunciados por Gabriel. Uno que tuvo lugar durante la huida a Egipto de la Sagrada Familia. Una escena que, por cierto, no describen los evangelistas, pero que sí evocan el beato Amadeo y el evangelio apócrifo del Pseudomateo.[21]

—Entonces no hay duda de que Leonardo tuvo acceso al *Apocalypsis Nova...* —murmuré.

—Ninguna. Y la prueba de ello está, curiosamente, en Madrid —sentenció, levantándose con el viejo libro bajo el brazo y devolviéndolo a su estantería.

—¿De veras?

—Oh, sí. Descansa en uno de los dos únicos códices de Leonardo que se guardan en la Biblioteca Nacional. Nadie sospechaba que en España pudiéramos tener esa clase de manuscritos, pero en 1965 aparecieron un par de cuadernos de notas originales de Leonardo después de haber estado décadas traspapelados en sus fondos. Lo curioso es que contienen una lista completa de los libros que el maestro tuvo en su taller. Esa especie de inventario fue escrito de su puño y letra y menciona con claridad cierto *Libro dell'Amadio*,[22] por desgracia en paradero desconocido, que sin duda es el texto del beato Amadeo.

—Hasta podría ser ese mismo tomo —bromeó Marina señalando al *Apocalypsis* ya guardado.

—¿Os lo imagináis? —El agustino sonrió con mirada pícara—. Eso sería fabuloso. Ahora estaríamos tocando un libro de la biblioteca personal del gran Leonardo...

—¿Y Rafael? —rompí su ensoñación—. ¿Sabe si él también tuvo acceso al *Apocalypsis Nova*?

El viejo agustino se recompuso:

—¿Rafael? Eso lo ignoro, hijo mío. Y eso que los cuadros que se conservan de él en Madrid, y que en tiempos fueron la gloria del Museo del Prado, estuvieron antes guardados en este monasterio. Aunque te diré algo: no me extrañaría que el *divino de Urbino* hubiera estado también al corriente de las ideas proféticas de nuestro beato.

—Y puestos a especular, ¿quién sabe si sus Sagradas Familias no fueron pintadas como cuadros para facilitar la presencia de la Virgen en los días del fin del mundo? ¿No?

El monje y yo reímos la nueva ocurrencia de Marina sin saber qué otra cosa añadir. A lo peor ésa era la clave para entender los cuadros que el maestro del Prado quería explicarme.

Pronto iba a averiguarlo.

4

Haciendo visible lo invisible

El último martes antes de las vacaciones fue un día peculiar. Estaba tan entusiasmado con lo que había aprendido del *Apocalypsis Nova* en El Escorial que no veía la hora de regresar al Prado y demostrarle a mi «guía» que su nuevo alumno era alguien a quien merecía la pena tutelar. Hasta había concebido un plan para que aquella mañana pasara lo más deprisa posible: iría a clase, almorzaría con Marina en su facultad y al fin, sobre las cuatro y media, buscaría al doctor Fovel en el museo. Sólo tendría que poner una excusa creíble a Enrique de Vicente, el director de mi revista, para no tener que acercarme por la tarde a la redacción, en la carretera de Fuencarral. No conté con que un imprevisto pudiera desbaratar mi empresa. Y el imprevisto, claro, llegó. Fue un pequeño incidente, casi anecdótico, que sin embargo empezó a hacerme creer que nada de lo que estaba ocurriéndome era fruto del azar.

¿O sí?

Me explicaré.

Como futuros periodistas profesionales, mis compañeros de carrera y yo teníamos la obligación de estar al tanto de la actualidad. En aquellos días las cosas estaban muy tensas en el panorama internacional. Irak había invadido Kuwait en agosto. La ONU llevaba meses fracasando en sus intentos por hacer que Saddam Hussein retirase sus tropas de los pozos de petróleo del golfo Pérsico. Y por si fuera poco, hacía sólo dos semanas que el Consejo de Seguridad había autorizado el uso de la fuerza contra el régimen de Bagdad. Los periódicos de la mañana habían dado la peor de las señales posibles: Estados Unidos tenía en ruta hacia el Golfo a tres de sus portaaviones. Iban a unirse a un despliegue militar que ya sólo presagiaba guerra. Y la guerra es el afrodisiaco más poderoso que existe para la clase de periodismo que nos estaban enseñando.

Fue como si de repente todos se hubieran vuelto locos. Una actividad febril se apoderó de pasillos y aulas. En el patio de la facultad, mientras unos organizaban una marcha contra las operaciones armadas, otros improvisaban una extraña «conferencia de paz» con alumnos y profesores que tuvieran alguna conexión kuwaití. El resto parecían concentrados en preparar pancartas y octavillas que ayudasen a subir la temperatura política del campus. La noticia de que Mijaíl Gorbachov no iba a viajar a Estocolmo a recoger el Premio Nobel de la Paz por «presiones del trabajo» en la Unión Soviética terminó de calentar los ánimos. Todos creían que el gran ataque aliado contra Bagdad era inminente. Y también que las represalias de Saddam contra el vecino Israel desencadenarían poco menos que la tercera guerra mundial.

Yo, la verdad, no podía estar más ajeno a todo aquello. Casi todas mis prioridades tenían en ese momento quinientos años de antigüedad y ninguna estaba vinculada a la política internacional. Fue entonces cuando mi profesor de Historia Contemporánea se acercó para pedirme algo que me haría caer de bruces en el *nivel de realidad* colectivo: «¿No fuiste tú quien comentó una vez en clase que ya habían circulado profecías en Europa sobre esta guerra?» Ahora sabía por qué don Manuel no me había quitado el ojo de encima en toda la hora. «¿Puedes preparar para mañana una exposición de ese tema para discutirlo con el grupo? Seguro que da para un buen debate.»

Su propuesta me descolocó. Llevaba desde el domingo sin pensar en otra cosa que en profecías. Eso era lo bueno. Pero el comentario al que él se refería lo deslicé a principio de curso, al poco de la invasión de Kuwait. Y eso era muy raro. ¿A qué venía recuperarlo ahora? ¿Qué le había hecho pensar en mí *justo en ese momento*? Por desgracia, tenía esa asignatura en la cuerda floja. O me tomaba su invitación como una oportunidad para mejorar mi nota o la rechazaba y seguía vagando a mi aire entre los profetas del Renacimiento.

Acepté a regañadientes.

Durante toda la tarde, y contra lo que me pedía el cuerpo, me olvidé por completo del *Apocalypsis Nova*, de *La Virgen de las Rocas*, de El Escorial y —otra vez— de Marina, para sustituirlos por videntes, mensajes de la Virgen, cuartetas de Nostradamus y profetas modernos de toda condición. Entonces no supe ver que gracias a ese encargo iba a aprender algo interesante.

Hacia las cinco de la tarde ya tenía una idea de lo que iba a contar en la clase del día siguiente. Me había dado cuenta de que los augurios de la guerra del Golfo no estaban tan lejos como creía del *espíritu profético* que señoreó Europa en tiempos de Rafael. En cuestión de horas, tirando de hemeroteca —y en una época en la que no existía Internet, ni Google, y la presencia de ordenadores en la universidad era testimonial—, había reunido un buen puñado de pronósticos que podían asociarse lo mismo a la actualidad que al tiempo en que los sultanes otomanos amenazaban a los países del mediterráneo cristiano. Entre los más llamativos, destacaban los del único pontífice de la Historia con un aparente don profético propio: Juan XXIII, el *Papa Bueno.* Según el trabajo que un periodista italiano llamado Pier Carpi publicó a mediados de los setenta y que *por casualidad* estaba en los fondos de la facultad, fue hacia 1935 cuando el entonces obispo y delegado apostólico en Turquía y Grecia, Angelo Roncalli, tuvo siete sueños que lo convertirían en un discreto visionario. En ellos conversaba con un anciano «con el cabello blanquísimo, el rostro de perfiles aguzados, la tez oscura y la mirada dulce y penetrante»[23] que le mostró dos libros que contenían revelaciones sobre el futuro de nuestra especie. Días más tarde, para su sorpresa, ese mismo anciano terminó visitándolo en su pequeño piso de la costa de Tracia y lo convenció para que se iniciara en una suerte de rito rosacruciano. Fue allí donde Roncalli, siempre según Carpi, redactaría sus profecías. Las escribió en francés sobre hojas de papel azulado, y una parte de ellas terminaron en manos de ese periodista... después de que *ese mismo anciano misterioso* sometiese a Carpi a varias pruebas que lo acreditaron como legítimo depositario de dicha información.

Era una historia rocambolesca, cierto, pero deliciosa para exponerla ante un grupo de futuros periodistas. Tenía que ver con información exclusiva, con fuentes y con el modo de administrar una filtración interesada. Cuanto más estudiaba el caso Roncalli, más me llamaba la atención lo parecido que era a los *raptus* del beato Amadeo. El esquema de ambos relatos era prácticamente idéntico: Gabriel o un anciano venido de sabe Dios dónde —eso era lo de menos— hacía partícipe de vaticinios proféticos a un hombre de la Iglesia. Al beato Amadeo en ocho éxtasis. Al futuro Juan XXIII en siete sueños. A modo de curiosidad, copié un par de ellos en el cuaderno que me había llevado a El Escorial. Uno rezaba: «La media luna, la estrella y la cruz se enfrentarán. Alguien mantendrá en alto la cruz negra. Del valle del Príncipe vendrán los jinetes ciegos.»[24] Y el otro: «La gran arma estallará en Oriente, produciendo llagas eternas. La infame cicatriz no se borrará jamás de la carne del mundo.»[25]

Bien entrada la tarde, con el trabajo listo y la poca luz del día ocultándose ya tras el perfil de la Ciudad Universitaria, dejé la facultad con una extrañísima sensación en el cuerpo. ¿Era casual que todo lo que me había ocurrido en las últimas setenta y dos horas estuviera relacionado con papas, pinturas y profecías?

¿Qué iba a decir el doctor Fovel de todo esto?

¿Tendría mi particular *anciano del Prado* —en quien ya no podía dejar de ver la descripción de Carpi— la culpa de todo?

Seis cincuenta de la tarde. Llegué al museo con un mal presentimiento. Y no era por culpa del frío. Me atormentaba haber perdido todo el día con aquel encargo inesperado, y ahora apenas me quedaba una hora para encontrar al maestro. Mientras me zarandeaban los vaivenes del metro me imaginé lo peor. Quizá Fovel me había puesto a prueba, del mismo modo que el anciano de Roncalli a Pier Carpi, y si no me presentaba a tiempo perdería la gran oportunidad de acceder a sus enigmas. Tal vez, si no daba con el doctor Fovel como habíamos quedado, no volvería a verlo jamás.

Corriendo, accedí al corazón de la pinacoteca por la puerta de Velázquez que relampagueaba entre luces de Navidad. Sin prestarles la menor atención, torcí a la izquierda en busca de la galería de pintura italiana. Allí fue donde nos habíamos despedido. Justo delante de *La Perla*. Pero no lo vi.

No estaba.

Con el pulso acelerado, miré en todas direcciones tratando de reconocer su abrigo negro entre los últimos visitantes del día. Deambulé incluso por las salas contiguas, no fuera que el misterioso maestro hubiera decidido distraerse junto a los Botticelli o los Durero. Pero todo fue en vano. Quedaba una última opción: podría estar en la sala 13. ¿Dónde si no? Ahí era donde me remitió el domingo cuando nos despedimos. «Es mi favorita», había dicho. Y, diligente, me acerqué a uno de los paneles informativos del museo para ubicarla.

El plano del edificio no parecía muy complejo. Lo formaban setenta y cuatro salas divididas en dos plantas, pero ¿dónde diablos estaba la número trece?

—¿La sala 13?

La bedel a la que me dirigí con gesto de urgencia me miró de arriba abajo como si le hubiera preguntado por algo de otro planeta.

—He quedado ahí con un amigo —dije tratando de disipar sus suspicacias.

La joven encargada soltó entonces una risita.

—¿Qué le hace tanta gracia?

—¡Pues que te han gastado una broma, chico! No hay ninguna sala 13 en el museo. Ya sabes —me guiñó un ojo—: por lo de la mala suerte...

Por un segundo me costó aceptar lo que estaba oyendo. El Museo Nacional del Prado, la mayor institución cultural del país, había evitado numerar una sala con el fatídico número, igual que algunas compañías aéreas omiten la fila 13 en sus aviones, o ciertos hoteles pasan de la planta 12 a la 14. Estaba atónito.

La señorita insistió:

—No la busques. En serio. Nunca ha existido.

Aquella tarde aprendí lo que era el vacío. La nada. De repente estaba ante un callejón sin salida. Frente a un muro imposible de sortear.

¿Qué debía hacer?

¿Me habría gastado Fovel una broma de mal gusto?

¿O quizá, como preferí pensar en ese momento, aquello podría formar parte de una especie de prueba?

Desde la primera vez que lo vi, Fovel me había recordado —quién sabe por qué— a ese otro maestro con el que un jovencísimo Christian Jacq se había tropezado frente a la catedral de Metz, cerca de Luxemburgo, a primeros de los años setenta. Cuando la leí, su historia me impactó. Contaba cómo en cierta ocasión Jacq, al que aún faltaba mucho para convertirse en el escritor mundialmente conocido que hoy es, admiraba los relieves de esa catedral cuando un hombre «de mediana estatura, ancho de hombros y pelo plateado»[26] —¡otro más como el anciano de Pier Carpi!— se le acercó y se ofreció como guía. Dijo llamarse Pierre Deloeuvre, que es un nombre de fuertes resonancias masónicas, traducible literalmente como *Piedra de la Obra*. El caso es que, fuera ésa o no su verdadera identidad, aquel tipo instruyó a Jacq acerca del significado iniciático de la iconografía catedralicia, proporcionándole una comprensión global de los templos cristianos que, desde entonces, el autor vio como «máquinas» para acercarse a lo divino.

La de Deloeuvre, sin embargo, no fue una enseñanza gratuita. A Jacq le costó superar ciertos tanteos. Demostrar que realmente merecía recibirla. Comprometerse a que lo aprendido sería utilizado para dar luz y no para sembrar más confusión.

¿Estaba Fovel haciendo algo parecido conmigo?

¿O acaso yo, superado por el bombardeo de información de aquellos días, empezaba a ver fantasmas donde sólo había un buen hombre dispuesto a dar un rato de conversación a un joven aficionado al arte?

Lo mejor iba a ser que me tranquilizara. Debía sujetar las bridas de mi imaginación. Ser paciente. Si mi maestro tenía que aparecer, lo haría. De lo contrario, tal vez fuera cuestión de regresar al día siguiente, o al otro, con algo más de tiempo. U olvidar aquel embrollo para siempre. A fin de cuentas, la idea de estar sometido a una especie de examen era cosa de mi fantasía. Nada más. Y confortado por esa idea desanduve mis pasos hasta la galería en la que colgaba *La Perla*. Tanto si el maestro llegaba como si no, al menos templaría mi espíritu admirando unos cuadros de los que ya sabía más cosas. Meditar ante cualquiera de ellos no me haría ningún daño. Es más, ahora era consciente de que uno de los propósitos supremos del artista al ejecutar esas pinturas había sido el de inducir una *experiencia espiritual* en el espectador.

Elegí —o me eligió, nunca se sabe— *La Sagrada Familia del Roble*.

Era ésta una tabla de dimensiones parecidas a la que había examinado el domingo con Fovel, con la misma Virgen y los mismos dos niños como ejes centrales de la composición, aunque sin la santa Isabel del anterior. Una ausencia, por cierto, que confería a la escena una desazón muy particular que me atrapó desde el primer vistazo.

Dócil ante su misterio y resignado por la vana espera, me dejé llevar por el instinto.

Al principio no le di importancia. Sin embargo, cuando llevaba cinco minutos sin despegar la vista de esa *Sagrada Familia*, la pesadumbre inicial —que al principio atribuí a mi estado de nervios— se había tornado en una injustificable angustia.

La Sagrada Familia del Roble. Rafael Sanzio (1518). Museo del Prado, Madrid.

«Un momento.» Me froté los ojos. «¿Por qué me siento así?»

En un esfuerzo por racionalizar aquella primera impresión, intenté atribuirla a la geometría de la escena. Mientras que en *La Perla* los personajes se agrupaban formando un triángulo muy parecido al que se adivina en *La Virgen de las Rocas* de Leonardo, en ésta formaban una diagonal que daba la impresión de dispersarlos. ¿Era, pues, ese «desorden» lo que me desasosegaba? «No», concluí al punto. «No puede ser.» Sobre todo porque la imagen era de lo más bucólica. No se vislumbraba amenaza alguna en el ambiente. Es más: el mismo san José, que en la otra tabla estaba casi oculto, contemplaba ahora a los chiquillos con un gesto meditabundo, tranquilo, como si, aun intuyendo el futuro que los aguarda, no le preocupara lo más mínimo. Y tras ellos, un amanecer parecido al de *La Perla*. Un presagio del alba que los dos niños estaban a punto de traer a la humanidad.

La tabla era, pues, serena. Algo melancólica. Balsámica.

Pero ¿por qué no me daba paz?

—¿Qué, hijo? Te inquieta, ¿verdad?

«¡Dios!», di un respingo. La voz severa del doctor Fovel sonó a mi espalda, exactamente como si acabara de salir de la nada.

—Me alegra verte de nuevo —añadió cordialmente.

Le miré los pies. Sé que suena raro. Pero en alguna parte había leído que los fantasmas no tienen pies. Fovel, por supuesto, los tenía en su lugar. De hecho, calzaba unos zapatos ingleses con hebilla que era imposible que yo no hubiera oído golpear en el enlosado. Y volvía a estar ante mí con el mismo aspecto impecable del día anterior.

—Es normal que esta obra te produzca cierta desazón, hijo... —añadió como si pudiera adivinar mi estado.

Yo le sonreí. Supongo que forcé el gesto para conjurar

el sobresalto. El maestro se había presentado en el lugar exacto de nuestro primer encuentro, tal y como había prometido. Quizá había esperado a que las salas del museo fueran quedándose vacías, porque, cuando llegó, un silencio casi absoluto envolvía de nuevo el lugar. Él siguió a lo suyo.

—...y eso es porque su mensaje es tan equívoco como el de *La Virgen de las Rocas* que dejamos pendiente de explicar el domingo. ¿Te acuerdas?

Asentí.

—¿Sabes en qué reside ese equívoco? Míralo bien, por favor.

Lo hice. Pero no dije nada.

—¿Lo ves? Imagina por un momento que no tienes ni idea de la fe cristiana. Si no te detienes en consideraciones religiosas, éste te parecería el retrato de una familia con dos hijos. Pero Jesús, tú lo sabes, y millones de cristianos también, fue hijo único, ¿no?

«¡Claro!», reaccioné. «¿Cómo no me he dado cuenta antes?»

—Hay algo más: presta atención a los niños. Y a la cuna de mimbre. Es la misma que ya vimos en *La Perla*, sólo que, a diferencia de aquélla, en ésta ambos infantes tienen un pie plantado entre sus sábanas. No hay que ser muy listo para leer ese símbolo, ¿verdad? Rafael está diciéndonos que ambos proceden de la misma cuna. Tienen un mismo origen genealógico.

—El ángel Gabriel —solté, no sin cierta ironía.

Fovel me puso una mano en el hombro. Sentí un escalofrío.

—No es para tomárselo a broma, hijo. A principios de siglo, un filósofo del Imperio austriaco llamado Rudolf Steiner creyó haber comprendido, por fin, por qué tantos artistas del Renacimiento se empecinaron en retratar a la Virgen con dos niños que parecían dos gotas de agua. No fueron sólo los que pintaron Rafael o Leonardo. También Tiépolo, Yáñez de la Almedina, Juan de Juanes, Luini, Cranach, Berruguete. ¡Decenas de ellos! Pintar dos bebés idénticos junto a una sola madre se convirtió en una discreta costumbre. Como si de repente los artistas hubieran comprendido algo. Como si hubieran accedido a algún conocimiento que había permanecido oculto hasta entonces y hubieran querido compartirlo con los mecenas que les encargaban sus obras. Eso sí, de forma sutil.

«Rudolf Steiner.» Garabateé aquel nombre en el cuaderno que llevaba encima.

—¿Se refiere a un conocimiento distinto al del *Apocalypsis Nova*? —pregunté.

—Oh, sí. Para Steiner, lo que estos cuadros demuestran en realidad es que existieron dos niños Jesús, dos mesías que nacieron casi simultáneamente en Galilea, de familias diferentes pero próximas, y cuya existencia decidió ocultarse al mundo. Según explicó en sus conferencias, las primeras comunidades cristianas decidieron esconder ese hecho para no crear escisiones innecesarias entre ellos. Siglos más tarde, quienes accedieron al secreto comenzaron a sugerirlo en la iconografía, aunque disfrazando de Bautista a uno de los dos chiquillos para evitar el escándalo. O algo peor.

—¿Dos niños Jesús? Había escuchado que santo Tomás pudo ser hermano de Jesús, por aquello de que su nombre en arameo significa «gemelo»...,[27] pero lo que usted propone es aún más increíble. ¡Es una locura!

—No te precipites, hijo —me amonestó solemne—. Abre los ojos. Mira al mundo sin prejuicios. Acude siempre a las fuentes y decide después por ti mismo dónde está la verdad. Ésa es la grandeza del camino que te propongo.

En ese momento ignoraba lo lejos que iba a llevarme

esa frase. Entonces yo sabía muy poco de Steiner, la verdad. Apenas que fue un apreciable filósofo, seguidor de Goethe, escritor y artista, pero sobre todo impulsor de los cultivos biodinámicos, de clínicas que consideraban que las enfermedades deben tratarse equilibrando lo físico y lo espiritual, o de las escuelas Waldorf. Esa especie de Leonardo de principios del siglo XX —que pintaba, esculpía, escribía y hasta ideaba estructuras arquitectónicas— había imaginado un sistema de enseñanza que no sólo potenciaba el estudio tradicional, sino también el conocimiento intuitivo y el acercamiento a las artes desde una perspectiva emocional. Su nombre en boca de Fovel resultaba más que prometedor. Lo subrayé. Y anoté al lado el de una persona que sabría hablarme más de él: Lucía.

Guardé aquella pista en la recámara, y le solté lo que llevaba un día entero deseando decirle.

—¿Sabe, doctor? Me alegra que mencione lo de acudir a las fuentes, porque eso es exactamente lo que he hecho.

—¿De veras?

—Oh, sí. He estado en la biblioteca de El Escorial y he tenido en mis manos el *Apocalypsis Nova* —proseguí—. Ahora ya sé cómo inspiró a Leonardo y Rafael; e incluso puedo demostrar que al menos Da Vinci tuvo ese libro en su colección particular.

Mi revelación cayó como una bomba en el viejo maestro. Lo vi en sus ojos. Sus pupilas se dilataron discretamente al tiempo que la expresión de su rostro se alteraba.

—Vaya... —titubeó Fovel—. Eso sí es una sorpresa.

—Por cierto... —Ahora que lo sentía en mi terreno, aproveché para inquirir—: ¿Estuvo usted la semana pasada en el monasterio consultando el libro del beato?

La oscurecida mirada del maestro relampagueó por un instante.

—No. ¿Por qué lo preguntas?

—No... —dudé—. Por nada.

—¿Y sobre Rafael? ¿Encontraste su conexión con el *Apocalypsis Nova*?

Sacudí la cabeza, algo decepcionado.

—Eso nadie supo decírmelo.

—Pues es bien sencillo. A ver, ¿quiénes regentan la biblioteca de El Escorial, hijo?

—Los agustinos.

—¿Y no te lo contaron?

—¿No me contaron qué, doctor?

—Que uno de los principales mentores de Rafael Sanzio en Roma fue el superior de la Orden de San Agustín, el padre Egidio de Viterbo.

—Nunca lo he oído nombrar.

—Y supongo que tampoco a Tommaso Inghirami, el bibliotecario de Julio II.

—Tampoco.

—Pues ambos fueron los que, por sugerencia del paisano de Rafael, Donato Bramante, lo introdujeron en la corte de Julio II y quienes dirigieron nada menos que el programa pictórico de *La escuela de Atenas*. Tanto uno como otro fueron seguidores de Marsilio Ficino, ya sabes, ese docto florentino que tradujo al latín los libros de Platón y de Hermes Trismegisto desatando una pasión sin límites por las enseñanzas perdidas del mundo antiguo; aunque sólo las compatibles con el cristianismo, claro. Ficino fue, en suma, quien «inventó» el Renacimiento desde su academia en Careggi, en tiempos de Cosme el Viejo,[28] y quien inoculó la idea de que los filósofos deben sustentarse en los principios físicos para llegar a los metafísicos. Para ese grupo de personas, la materia, lo visible, es la puerta de entrada oculta para acceder a lo espiritual, a lo invisible. A Dios.[29] Y Rafael aprendió a pintar con ellos sirviendo a ese supremo propósito.

—¿Me está usted diciendo que sus pinturas son una especie de puertas al mundo espiritual?

—Como lo fueron las catedrales góticas levantadas por los maestros constructores en el siglo XII. Exactamente.[30]

—Entonces, se trata de una idea que viene de muy atrás...

—En realidad, desde la prehistoria, hijo. En el tiempo de las cavernas, hace como poco cuarenta mil años, ya se pintaban imágenes en las paredes para lograr el acceso a los mundos sutiles. El arte era considerado por su valor no estético sino práctico, ya que permitía fijar escenas y símbolos que a menudo evocaban lo sobrenatural. Había que aprender a mirarlos desde el alma y no sólo con los ojos.

—¿Y Rafael? ¿Consiguió su objetivo? ¿Abrió esas... puertas?

Fovel se llevó la mano al cabello, alisándoselo hacia atrás, como si buscara la mejor manera de transmitirme su siguiente concepto.

—En la Edad Media y el Renacimiento, amigo mío, todo el mundo aceptaba que los artistas, los intelectuales (aunque también los locos) eran los únicos preparados para alcanzar momentos de plenitud mística. De algún modo eran vistos como los guardianes de las llaves del más allá. Gentes capaces de unir el mundo terrestre con las potencias celestiales.

—Como los médiums...

—En este campo conviene que seleccionemos muy bien las palabras, hijo. Pero fueron algo así, en efecto. Se asumía como natural que cualquier creación humana sublime hubiera sido dictada o participada desde «esferas superiores». De ellas es de donde creían que llegaba todo orden y armonía. Ficino escribió mucho sobre este asunto, e incluso sabemos que él mismo fue receptor de comunicaciones sobrenaturales.[31] Respetables sabios de la Iglesia, como Tomás de Aquino, estudiaron el misterio. Y los padrinos romanos de Rafael, a buen seguro, lo instruyeron en la existencia de ese vínculo y en cómo potenciarlo.

—Parece convincente.

—Lo es y te lo demostraré. Hablemos de Tommaso Inghirami, el bibliotecario.

—Adelante.

—En 1509, mientras estaba pintando *La escuela de Atenas*, Rafael se tomó unos días para retratarlo. En ese cuadro, el amigo neoplatónico del pintor aparece con un notable estrabismo. Es el mismo defecto que años más tarde veremos en el niño poseído de su obra maestra, *La Transfiguración*. En la clave simbólica de la época, esa característica indicaba el acceso que ambos —niño y sabio, ambos con *mirada especial*— tenían a fuentes sobrenaturales de conocimiento. Los dos, uno por la vía del estudio pero también a través de la cábala y de otros saberes ocultos, y el otro mediante los éxtasis, habían alcanzado el reino del espíritu.

—Pero ¡eso es tremendo! Si acepto eso, tendré que creer que la mitad de los prohombres de aquel tiempo eran una especie de místicos, de iluminados. El beato Amadeo, el bibliotecario del papa, incluso Rafael...

—La mitad no. ¡Todos! Y no sólo los prohombres, hijo. Según la doctrina neoplatónica de Ficino que inculcaron en Rafael sus maestros De Viterbo e Inghirami, el hombre es «un alma racional que participa de la mente divina, pero que emplea un cuerpo».[32] Su misión al descender a la Tierra no es otra que la de hacer de «lazo de unión entre Dios y el mundo».[33] Y en cuanto al beato Amadeo —dijo Fovel relajando algo el tono—, hay algo que no te he dicho y que conecta a Rafael inequívocamente con el *Apocalypsis Nova*...

—¿De qué se trata?

Retrato de Tommaso Inghirami. Rafael Sanzio (1509). Galería Palatina, Florencia.

—El vínculo entre ambos es *La Transfiguración*. El original está en los Museos Vaticanos. Deberías ir a verla.

—Me temo que me queda un poco lejos, doctor —suspiré.

—No importa. Estás de suerte. También puedes admirarla aquí, en la excelente copia que hizo su discípulo Giovanni Francesco Penni y que se conserva en este museo. Vasari dijo de ella que era el gran cuadro de Rafael, su obra «más bella y más divina». Y estoy de acuerdo. De hecho, refleja como ninguna otra pintura de la Historia cómo se comunican el mundo visible y el invisible.

—Pero los cuadros que muestran el mundo celestial arriba y el mundo material abajo son bastante comunes —objeté, rememorándola.

—Eso es cierto. Pero en *La Transfiguración* hay una sabiduría oculta que no encontrarás en ninguna otra. Es una filosofía que explica el modo en el que ambos mundos interactúan utilizando al ser humano como vehículo, exactamente como Ficino y su Academia defendieron.

Escuché aquello con cierta incredulidad.

—¿Quiere decir que *La Transfiguración* es una especie de tratado sobre la comunicación con el más allá?

—Haz una prueba. Cuando te pongas delante de ese cuadro, sigue las observaciones que voy a darte y lo comprenderás. Verás: representados en su plano inferior vas a encontrar a los apóstoles discutiendo en torno a un niño de unos doce años que parece poseído. Es el de la *mirada especial*. Fíjate sobre todo en cómo levanta un brazo al cielo y con el otro apunta al suelo, en lo que es toda una declaración de principios de su función como intermediario entre ambos mundos. Esa escena, una vez más, tampoco está sacada de la Biblia. En ningún momento se dice que un poseso estuviera con los apóstoles a los pies del monte Tabor. Y, sin

La Transfiguración. Giovanni Francesco Penni (copia del original de Rafael Sanzio, 1520). Museo del Prado, Madrid.

embargo, ahí vemos a Mateo sentado con un libro abierto, sin tocar el suelo con los pies, indicándonos que el conocimiento tradicional no nos va a servir esta vez para comprender lo trascendente. Mateo fija la vista en una mujer. Y ella esconde otra clave importante. Esa mujer arrodillada que está dándonos la espalda es una alegoría de *Sofía*, la sabiduría de los griegos clásicos. Y con sus índices señala al endemoniado. Es como si el cuadro nos advirtiera que la sabiduría conoce dónde está la llave para lograr saltar de un mundo a otro. La llave es el chico. Por supuesto, no todos lo entienden así. Judas contempla la escena con desconfianza. Y Simón el Cananeo. Y Santiago el Menor. Y Tomás. Sólo Bartolomé señala hacia Jesús, que está ascendiendo a los cielos, aunque resulta obvio que el pobre apóstol tampoco lo ve. Sin embargo, presta atención a esto: los dedos que apuntan primero al niño y luego al Resucitado nos están diciendo a gritos que sólo a través de humanos especiales como el poseído (¡o como Inghirami!) alcanzaremos la esfera de lo sobrenatural. Y para reconocerlos habremos de acudir a Sofía. Es, tienes razón, casi un tratado de mediumnidad. Uno en el que el epiléptico y el Hijo de Dios aparecen íntimamente relacionados. ¡Qué lección!

—¿Y dónde queda el *Apocalypsis Nova* en todo esto, doctor?

—Ah, sí. Es cierto. Bueno, creo que no te he dicho aún que *La Transfiguración* fue el último cuadro que pintó Rafael antes de morir, ¿verdad? El *divino* tenía sólo treinta y siete años y, de hecho, lo dejó sin terminar. Giulio de Médicis, uno de los cardenales que aparecía con León X en su famoso retrato, se lo había encargado para enviarlo a Narbona, pero el fallecimiento del pintor truncó el proyecto. El cuadro lo concluyeron en su taller justo a tiempo para llevárselo, según unos, a su lecho de muerte, y según otros, ante su ataúd el día de su funeral, en el antiguo Panteón de Agripa. Pero lo que más me sorprende es que Giulio de Médicis decidiera que el cuadro se quedara en Roma y lo enviara... ¡a la iglesia de San Pietro in Montorio!

—No le sigo, doctor —susurré.

—Enseguida lo entenderás. Justo en esa iglesia, hijo, en 1502, siendo papa el español Alejandro VI, un cardenal cacereño que se creía predestinado a sucederlo como el futuro Papa Angélico abrió por primera vez al mundo el manuscrito del *Apocalypsis Nova*. Él fue el verdadero culpable de la pasión que desató ese libro entre las élites de su época. Se llamaba Bernardino López de Carvajal. ¿Y sabes por qué entre todas las parroquias de Roma escogió ésa para su ceremonia? ¡Porque ese templo fue el último destino del beato Amadeo en Roma! ¡Ésa fue su iglesia!

—Joven, por favor, el museo está a punto de cerrar.

La voz de uno de los vigilantes me arrancó de aquel momento de éxtasis. De repente, el círculo que el maestro Fovel estaba cerrando ante mis ojos cobraba todo el sentido. Rafael. El beato Amadeo. Leonardo. El arte como vehículo de comunicación con el más allá. Como depositario de secretos de la Historia Sagrada...

—¿Me ha oído? Estamos cerrando.

—Ya, ya terminamos. Es sólo un minuto más —rezongué como si me zancadillearan.

—Dese prisa.

El doctor Fovel se encogió de hombros.

—*Tempus fugit*, amigo —dijo—. Aunque es mejor así. Tengo la impresión de que ya tienes mucho en que pensar. Tómate tu tiempo, digiere lo aprendido y vuelve cuando quieras. Aquí estaré.

—En la sala 13, ¿no?

El maestro sonrió de oreja a oreja.

—Es una forma de decirlo, sí.

Y otra vez, sin despedirse, el afrancesado maestro del Prado me dio la espalda. Caminando sin hacer ruido se perdió museo adentro, en una dirección sin salida a la calle.

—Joven... ¡Cerramos!

—Ya voy.

5

LOS DOS NIÑOS JESÚS

Tardé algunos días en asimilar lo que había ocurrido en aquel fugaz encuentro con el maestro Fovel. Fue como si su segunda lección se hubicra llevado consigo toda mi energía mental. Me dejó tan extenuado que aquella noche me metí en la cama sin ganas de cenar ni de ver la tele siquiera. Gracias a Dios, a la mañana siguiente mi exposición sobre las profecías y la guerra fue mejor de lo que había previsto.[34] Aquel último chispazo de lucidez me valió una subida de nota y de autoestima. Sin embargo, cuando poco después intenté recoger por escrito las impresiones de nuestra última cita o traté de desahogarme con Marina contándoselo todo, fue imposible. Lo único que pude procesar fueron sensaciones. Destellos de memoria. Vislumbres fugaces de imágenes que resultaban imposibles de racionalizar. En resumen, tuve la impresión de haber caído en una obsesión malsana, en una especie de sobredosis icónica que sólo superaría si dejaba pasar un tiempo prudencial.

Esperaba que la Navidad contribuyera a relajar las cosas. Durante diez días no volvería a pensar en el Museo del Prado ni en su extraño maestro. Y la calma habría llegado enseguida de no ser por un viaje relámpago, inesperado hasta cierto punto, al corazón de Castilla. A Turégano. Nunca me alegré tanto de tener un coche a mi disposición como en aquellos días. Allí, a la sombra del espectacular castillo segoviano que había servido de prisión a Antonio Pérez, el todopoderoso secretario de Felipe II, la actriz Lucía Bosé acababa de adquirir una vieja fábrica de harina con la vista puesta en lo que pronto iba a convertirse en el primer museo del mundo dedicado a los ángeles. Y justo en esa vieja ruina, entre sacos de cemento, andamios, ladrillos, una vieja radio vomitando villancicos y planos colgados de las paredes, me dio cita para que nos tomáramos un café.

No había misterio alguno en el encuentro. La culpa era mía. Le había telefoneado el martes, nada más salir del Museo del Prado. Unas declaraciones suyas a un importante periódico de Madrid comentando que era lectora asidua de Rudolf Steiner me habían dejado intrigado tiempo atrás. Y la intriga se multiplicó de manera exponencial en cuanto Fovel mencionó ese nombre. Motivado por la «casualidad», dejé un largo mensaje en su contestador. Lo que no esperaba era que me respondiera tan pronto con una nota dejada a la telefonista de mi colegio mayor: «*Venite presto.* Lucía.»

Y lo hice, claro.

Mi anfitriona resultó ser la viva imagen de la ilusión. Lucía —Miss Italia 1947, estrella internacional de cine, esposa del mítico torero Luis Miguel Dominguín, madre de Miguel Bosé y abuela de artistas— había aceptado reunirse conmigo en cuanto supo quién era. Hacía menos de un año que yo había publicado un llamativo artículo sobre ángeles en una de sus revistas favoritas y, según me diría más tarde, reconoció mi nombre en el acto. «Leo todo lo que tiene que ver con ellos y memorizo hasta el último detalle.» Aquél, desde luego, fue un reportaje curioso. Lo publiqué poco después de que en febrero de 1990 un grupo de jóvenes de Paiporta, en Valencia, saltara a los medios de comunicación nacionales afirmando que ángeles de carne y hueso se habían reunido con ellos y les habían entregado un misterioso *Libro de las dos mil páginas* plagado de apocalípticas profecías sobre nuestro futuro.[35] En mi artículo desvelaba, además, la existencia de un segundo grupo de «receptores» liderado por un artista. Un pintor. Y eso fue lo que había llamado tanto la atención de la actriz, que ya barruntaba su idea de un museo de pintura angélica.

—Pero ¿tú crees o no que esos chicos vieron ángeles *físicos*? —preguntó nada más recibirme, después de estamparme un par de besos en las mejillas e invitarme a seguirla al interior de su museo en obras.

Yo me encogí de hombros, intimidado por la pregunta. No iba a tardar en descubrir que detrás de aquel carácter volcánico se escondía un corazón de oro.

—Bueno... —titubeé—. Es su palabra contra la de cualquiera. La verdad, no lo sé.

—¡Pues *io si credo*! —soltó fresca, con esa deliciosa lengua suya capaz de mezclar en completa armonía español e italiano.

—¡Yyo también! —añadió al punto un hombre de unos cuarenta y pocos años, moreno, de poco pelo y mirada inteligente, que estaba esperándonos en la improvisada cocina de la obra.

—*Oh, caro*. Éste es mi amigo Romano Giudicissi. Como me dijiste que querías hablar de Rudolf Steiner y de su teoría de los dos niños Jesús, le pedí que viniera. Es un verdadero experto en el tema. Espero que no te importe.

—¡Claro que no!

—No hay nada raro en creer que un ángel de carne y hueso pueda aparecerse aquí mismo —sentenció él con aplomo mientras me saludaba, sonreía y me indicaba una banqueta para que tomara asiento—. En la Biblia se cuenta cómo dos ángeles se materializaron ante Abraham, se sentaron a su mesa, comieron y fueron vistos por toda su familia. ¿Por qué no iban a aparecerse así hoy, si quisieran?

—A lo mejor Romano es uno de ellos, y ha venido a tomarse mi gran café —bromeó Lucía.

—*Certo!*

Los tres pasamos un buen rato charlando sobre aquel asunto. «¿Puede lo invisible tomar cuerpo?» El tema me interesaba. Y mucho. Por lo que había leído tras mis conversaciones con el doctor Fovel, sabía que ésa había sido una de las preocupaciones íntimas de Rafael Sanzio. Y es que, a diferencia del gran Leonardo, el maestro de Urbino no había renunciado a pintar lo sobrenatural. De hecho, creía que debía hacerse con la misma corporeidad, con la misma verosimilitud con la que se representaba cualquier otro elemento del mundo visible. Qué razón tenía el maestro del Prado cuando mencionó a santo Tomás de Aquino como una de sus fuentes de inspiración. Estaba a punto de descubrir que este gran teólogo medieval había tratado de dar explicaciones «científicas», «racionales», a preguntas como aquélla. Según él, lo invisible puede a veces hacerse visible. Incluso tangible. Y, por lo tanto, retratable.

—¡Santo Tomás! —exclamó Romano al oírme mencionar su *Summa Theologica*—. ¿Sabías que durante algún tiempo discutió acaloradamente las ideas de otro teólogo importante, Pedro el Lombardo, un tozudo milanés como Lucía que creía que los ángeles tienen cuerpo?

—Y Tomás lo negaba, supongo...

—Bueno. No exactamente, Javier. Él rechazaba que tuvieran cuerpo *por naturaleza*, pero creía que, si necesitaban uno para, digamos, aparecerse a María y anunciarle su embarazo, tenían medios suficientes para fabricárselo...

—¿Medios? —Lo miré intrigadísimo—. ¿Qué clase de medios?

—En la *Summa Theologica* dijo que los ángeles eran capaces de hacerse un cuerpo a partir de aire condensado. E incluso de nubes.

Por alguna razón, aquella idea me resultó familiar. Enseguida recordé por qué. Rafael había sido el primer artista moderno en empezar a representar a Jesús en majestad, al Espíritu Santo o a Dios, sin esa especie de almendras luminosas donde los artistas medievales los encerraban. Las mandorlas —que así se llamaban— servían para indicar la presencia de un ambiente sacro. Actuaban sobre los fieles que las contemplaban como si fueran una señal de tráfico moderna. De algún modo, les decían que esa imagen era de naturaleza celestial. Pero Rafael renegó de ese recurso y lo sustituyó por aire luminoso o por nubes. ¿Habría leído a santo Tomás?

Romano había puesto énfasis, además, en la *Summa Theologica*, así que tomé buena nota para consultarla. Poco después descubriría que mi interlocutor se había quedado corto en sus apreciaciones. Concebida durante noches enteras en vela, postrado ante un altar, la gran obra del *Doctor Angélico* —que es como llamaron a Aquino tras su muerte en 1274— constituye una fuente infinita de sorpresas. Entre sus más de dos millones de palabras, no pocas las dedica a cuestiones sobrenaturales, esbozando conclusiones tan intrépidas como ésta al tratar de explicar la corporeidad ocasional de los ángeles:

> Aun cuando el aire, en su vaporicidad, no tiene figura ni color, sin embargo, al condensarse, puede ser moldeado y coloreado, como resulta claro por las nubes. Así es como los ángeles toman cuerpos formados a partir del aire, condensándolos con la misma virtud divina tanto cuanto sea necesario para formar el cuerpo que van a tomar.[36]

—*Veramente* es una teoría muy poética —comentó Lucía, mientras nos servía un generoso y denso café italiano—. ¡Ángeles hechos de nubes! Me encanta.

Romano sonrió:

—Al menos Tomás de Aquino devolvió su buen nombre a tantas personas que dijeron, y dicen todavía, haber visto ángeles.

—Pero si dotamos de una naturaleza demasiado corpórea a esos personajes bíblicos, la lectura de la Biblia se torna muy materialista... ¿No?

—Se hace más justa —terció Romano, serio—. Pensemos que lo físico es una parte del mismo *todo* que lo espiritual. Ambos mundos están en perfecta y perpetua interacción. No se trata de «lugares» diferentes, como pensaban los teólogos escolásticos anteriores a santo Tomás.

—Pero ¡basta de *discutere*! —Lucía había dejado la cafetera a un lado y se sentó al fin a la mesa—. Tenéis que probar las pastas...

Nuestra anfitriona relajó el tono de la conversación explicándonos algunas de las ideas que tenía para su museo y las dificultades que encontraba para presentar su proyecto a los políticos locales.

—...Sólo saben hablar de trashumancia y de la matanza del cerdo. ¡Imagina si encima les cuento el *grande segreto* de los dos Jesús!

Al tercer café y el segundo hojaldre estábamos ya preparados para abordar la cuestión que me había llevado hasta Turégano. Romano me tendió primero un pequeño libro que recogí con curiosidad. Reproducía en la cubierta la primera versión de *La Virgen de las Rocas*, junto a otros cuadros religiosos que no supe identificar.

—Lo he escrito yo —dijo sin atisbo de presunción.

El volumen se titulaba *Los dos niños Jesús: historia de una conspiración*, y había sido publicado por una pequeña editorial especializada.[37]

—Lo primero que debes saber —continuó Romano— es que la afirmación de que hubo no uno, sino dos niños Jesús, no es sólo de Steiner. Está en los propios Evangelios.

Mi interlocutor parecía hablar en serio.

—El Evangelio de Mateo se refiere a un chiquillo que nace en el seno de una pareja ya desposada, cuya genealogía por parte de José se remonta hasta el rey David. Esa circunstancia convertía a ese bebé en candidato a hacer que se cumpliera la profecía de que un hijo de reyes, alumbrado en Belén de Judea, se convertiría en un monarca de inmenso poder. Mateo es, además, quien cuenta que Herodes, ciego de rabia, urde un plan para acabar con ese niño que amenaza a su estirpe, e incluso pretende servirse de unos magos viajeros para llegar a él.

«Otra vez esa dichosa obsesión profética», pensé. Pero dejé que Romano continuara con su argumento.

—En cambio el Evangelio de Lucas ofrece una genealogía muy diferente, que parte de Jesús y pasa por una rama separada del rey David, la de su hijo Natán, hasta llegar a Adán y Eva. El niño al que alude Lucas es de Nazaret y, por cuestiones cronológicas que se deducen del censo romano que menciona el evangelista, es distinto al de Mateo. Ambos debieron de nacer con una diferencia de al menos cuatro o cinco años.

Romano me abrió entonces su libro por una cita de Rudolf Steiner, que leí sin chistar:

En el comienzo de nuestra era vivían en Belén y Nazaret dos hombres llamados José. Ambos estaban casados con sendas mujeres de nombre María. La María de Nazaret es un ser puro y virginal; la otra María, de Belén, lleva en sí toda la herencia de un doloroso pasado. Los dos José descienden de David: el de Belén por la línea real que pasa por Salomón. El José de Nazaret por la línea sacerdotal que desciende del hijo de David, llamado Natán.[38]

—Es el inicio de la historia —sonrió—. Ambas parejas tendrán un niño y ambas lo llamarán Jesús. El niño de la línea real o salomónica al que alude Mateo es aquel ante el que se postrarán los Reyes Magos. El otro, el natánico o de la línea sacerdotal, el que cita Lucas, es el que será adorado por los pastores. Cuando hablamos de estos episodios, solemos hacerlo de memoria y tendemos a mezclarlos como si todos los evangelistas contasen lo mismo. Y no es cierto. Sus libros cuentan cosas diferentes, que a menudo se contradicen...

—Pero es muy difícil de creer que...

—Aguarda, Javier —acotó Lucía, rellenándome el café—. Que lo mejor está por venir.

—*Grazie, Lucia* —sonrió de nuevo Romano—. Steiner es el único que da una explicación clara al porqué de esas contradicciones. Y lo hace gracias a que desarrolló un sistema de pensamiento complejo que le permitió acceder a verdades escondidas. En sus libros y conferencias habló a menudo de la existencia de una «ciencia espiritual» como oposición a la ciencia tradicional. En ese saber, cuestiones como el alma, la reencarnación o los planos inferiores y superiores de existencia no se discuten. Y desde ese punto de vista, y accediendo a fuentes seguramente inmateriales, Steiner reconstruyó la biografía de esos dos niños.

—¿Te refieres a que fue a través de una especie de revelación? —dije pensando en la aventura del beato Amadeo, cinco siglos antes.

—Llámalo como quieras, Javier. Para conocer esa «ciencia espiritual» hay que separarse por fuerza del mundo material. Steiner lo hizo.

—¿Era médium?

—¡Claro que no! Steiner fue un filósofo. Si en vez de morir a los sesenta y cuatro años lo hubiera hecho a los cincuenta, antes de adentrarse en «lo oculto», hoy estaría considerado a la altura de Bergson, Husserl o Karl Popper. Pero su curiosidad lo llevo a explorar otras vías. Que no tuvieron nada que ver con el espiritismo.

—Entonces..., ¿cómo accedió a esas revelaciones?

—Sólo podemos especular. Steiner estaba convencido de que detrás del mundo material que nos revelan los sentidos existe otro espiritual. Y creía que todo ser humano tiene la capacidad de acceder a ambos. Bastaría un sencillo entrenamiento para, por ejemplo, llegar a controlar ese periodo que existe entre la vigilia y el sueño y lanzarnos a ese mundo invisible.

—¿Y creía que cualquiera podría hacer eso?

—De hecho, lo hacemos. Cuando leemos un libro que nos conmueve entramos en un estado mental diferente. Es como entrar en otro mundo. Cuando admiramos una pintura o escuchamos una melodía que toca algo en nuestro ser más íntimo sucede lo mismo. Es como si lográramos elevarnos por encima de lo material y, por un instante, fuéramos capaces de participar de algo sublime. Steiner, pues, exploró esos estados a conciencia y obtuvo de ellos mucha información.

—Como la de los dos Jesús...

—Exacto. En varias de sus conferencias nos dio detalles convincentes de cómo el Jesús salomónico y el natánico terminaron viviendo en el mismo pueblo. Incluso de cómo sus padres establecieron una gran amistad. El niño que menciona Mateo despuntó enseguida como un sabio. En cambio, su compañero de juegos, el Jesús descrito por Lucas, tuvo más dificultades para adaptarse al mundo. El primero tuvo hermanos carnales. El segundo fue hijo único. Cuando el primero nació, Gabriel se apareció a su padre en sueños. Sólo a él. De hecho, así lo cuenta Mateo. En cambio, el segundo nació tras la visión que María tuvo de ese mismo ángel. Las diferencias entre ambos fueron, como ves, muchísimas.

—Vale. —Tragué aire—. Supongamos que te creo. ¿Cómo es que terminamos fundiéndolos en un solo individuo?

—Porque ocurrió algo.

—¿Algo?

—Ésta es la parte más difícil de aceptar para nuestra mentalidad racional. Te lo contaré lo mejor que pueda —prometió. Asentí y lo animé a continuar—. Steiner afirma que, cuando el niño natánico cumplió doce años, las dos familias con sus hijos peregrinaron a Jerusalén por la Pascua. ¿Recuerdas el episodio que cuenta Lucas, cuando Jesús se pierde en el templo? Ese Jesús fue el inadaptado, el silencioso, y sin embargo salió de aquel lugar transmutado, con una erudición y un conocimiento de las Escrituras impropio de alguien de su edad. Lo que nos cuenta Steiner es que en el templo el alma de los dos chiquillos se fundió en una sola. Fue un proceso espiritual, difícil de explicar, que tardó tres días en completarse y que hizo que el Jesús salomónico se debilitara y muriera al poco tiempo, depositando toda su inteligencia en el cándido Jesús natánico.

—Parece ciencia ficción, la verdad.

—Lo comprendo. Estamos hablando de otra lógica. Pero es un hecho que a partir de ese momento los evangelistas lo silenciaron todo respecto a Jesús. No volvieron a contarnos nada de él hasta su reaparición en el Jordán, su bautismo y el inicio de su vida pública. Ahí es donde surge el Cristo que conocemos, el ungido, el hombre que ha comprendido cuál es su misión y está dispuesto a morir por ella.

—¿Y nadie hasta Steiner se dio cuenta de esto? —pregunté con cierta picardía, recordando lo que me había dicho el maestro del Prado días atrás.

—¡Claro que sí! Muchos pintores conectaron de manera inconsciente con esa idea y se atrevieron a representarla en sus obras. Debieron pasar por un proceso similar al de nuestro filósofo. El más preclaro de esos artistas visionarios fue el Bergognone,* un pintor que a principios del siglo XVI elaboró un estuco en el que recreó lo sucedido a Jesús en el templo. Se encuentra en la basílica de su patrón, san Ambrosio, en Milán, y no hay otro como él. Por eso lo he puesto en la cubierta de mi libro. Mira. Es ése.

Acerqué la vista a donde me dijo y me quedé estupefacto. Conocía la iglesia a la que pertenecía esa escena. Durante un viaje de estudios a Milán, tropecé con ella callejeando por los rincones próximos al castillo de los Sforza. Recordaba haber admirado su altar de oro macizo, la serpiente de bronce que, según la tradición, caerá de su columna cuando el fin del mundo se acerque, e incluso llegué a meditar frente al esqueleto del santo expuesto en su cripta, pero no me había fijado nunca en esa imagen. Romano me explicó que se conservaba en el tesoro del Museo Sacro de la basílica. Se trata de un panel ejecutado en un estilo algo primitivo. Pero su aire arcaico no fue lo que me impactó. En la imagen, en efecto, se veía a *dos niños Jesús*: uno, sentado en un trono y rodeado de sacerdotes. Y otro, arropado por la Virgen, en pie, que parecía estar a punto de abandonar la escena.

¿Cómo era posible?

—¿Qué? ¿Cómo interpretas esto?

* Literalmente, «el borgoñés».

Me encogí de hombros. Romano hablaba con una seguridad apabullante:

—Lo cierto es que, como te he dicho, otros artistas de ese tiempo plasmaron esta misma idea en sus obras. Steiner insinúa que esos hombres «conectaron» con el secreto porque había llegado el momento de empezar a desvelarlo. En el Museo del Prado tienes un ejemplo magnífico. Se trata de una tabla pintada por un discípulo directo del Bergognone que trabajó también para Leonardo da Vinci: Bernardino Luini. En las salas de pintura italiana cuelga su *Sagrada Familia*, que Felipe II recibió como regalo de la ciudad de Florencia. La verás enseguida. Es muy hermosa. Muestra a dos niños abrazándose bajo una María muy leonardiana, ligeramente bizca,* y un san José tranquilo, apoyado en su vara. Cuando contemples el cuadro, Javier, detente unos minutos en él. No corras. Trata de respirar la atmósfera que emana. Huele el lirio en flor y fíjate luego en la esquina inferior izquierda de la tabla. Bajo uno de los niños se ve la tradicional cruz de palo largo del Bautista. Aparentemente no se trata de una alusión al segundo Jesús... Pero te diré algo: estoy convencido de que el cuadro fue manipulado para hacerlo asumible a los ojos de Felipe II. Que esa cruz fue un añadido posterior, hecho por alguien horrorizado ante el secreto de los dos niños Jesús.

—¿Un añadido?

—Sí. Muchos propietarios de estos cuadros optaron por disfrazar a uno de los niños con los atributos de san Juan Bautista. Nadie quería problemas con la Inquisición. Así

---

* El pequeño detalle del estrabismo en las madonnas de Luini tiene su aquel por la carga que ya sabemos se le otorgó en el siglo XVI a esa anomalía. Vladimir Nabokov, el autor de *Lolita*, acuñó para ese tipo de mirada la expresión «ojos luinescos» en un cuento que publicó en 1924: «La Veneziana.»

Jesús entre los doctores del templo. Ambrogio Bergognone o escuela (inicio s. xvi).
Basílica de San Ambrosio, Milán.

que los vistieron con pieles de cordero o les colocaron una cruz como ésa para disimular el mensaje del cuadro. A veces pedían esos retoques al artista original, pero si éste había muerto o se negaba, no dudaban en encargárselo a otro. El propósito era hacerlas parecer más «ortodoxas», que nadie hiciera preguntas incómodas.

—¿Puedes darme otro ejemplo de cuadro retocado?

—¡Los que quieras! *La Virgen de las Rocas* de Leonardo es uno.

—¿En serio?

—Desde luego. La primera versión, la que se conserva en el Museo del Louvre, muestra a dos bebés que parecen iguales. La segunda en cambio, la que tiene la National Gallery de Londres, presenta a uno de ellos con la cruz larga de san Juan en el regazo. Pues bien: esa cruz y los halos que tienen los personajes no son de Leonardo. Fueron añadidos con posterioridad.

—¿Y quién se atrevería a profanar un Leonardo?

—Eso es lo de menos, Javier. En ese tiempo el artista importaba mucho menos que el mensaje de su obra. Recuérdalo.

Lucía me miró entonces con ojos chispeantes:

—*Ebbene*, ¿ahora qué piensas?

Su pregunta no tenía respuesta. No pensaba nada. Nada en absoluto.

—Desde mi punto de vista, la ocultación de esta verdad es una tremenda conspiración... —añadió Romano.

—...Pero si Steiner tiene razón, los artistas del Renacimiento estuvieron a punto de echarla a perder. ¡Hicieron público el secreto! —susurré.

—Algunos, Javier. Sólo algunos lo hicieron.

—¿Como Rafael?

—Sí. Como él. ¿Conoces la que llaman la *Sagrada familia de la Perla*?

Sagrada Familia. Bernardino Luini (s. XVI). Museo del Prado, Madrid.

Asentí. «¡Y tanto!»

—Steiner observó que todos sus cuadros importantes, a excepción de *La Transfiguración,* corresponden a escenas anteriores a la muerte del Bautista. Y eso es porque, según él, la personalidad que animaba al artista había sido en otra vida ese personaje bíblico.

—Para aceptar eso hay que creer antes en la reencarnación.

—Cierto —concedió Romano—. ¿Y *La escuela de Atenas?* ¿La conoces bien?

—¡Ah! —salté—. ¿Es que también hay un Jesús pintado ahí?

—Uno no. Tres.

Me estremecí.

—¿De verdad?

—Y dos Rafaeles.

Aquello terminó de desconcertarme. Sabía del autorretrato de Rafael entre los astrólogos, pero ignoraba que hubiera otro *divino de Urbino* en la escena. ¿Alguien iba a explicarme la razón de esa duplicación de personajes?

Romano ya había comenzado a hacerlo:

—Como ya sabrás, se trata de un mural inspirado en ideas neoplatónicas. Rafael se propuso mostrar a sus contemporáneos cómo el pensamiento de Platón, las ciencias y las enseñanzas del cristianismo podían vivir en total armonía. Así que a la derecha del mural pintó las fuentes cristianas y a la izquierda las paganas.

—¿Y dónde está Jesús?

—Como te he dicho, aparece representado tres veces. Una como el niño inteligente que menciona el Evangelio de Mateo, junto a la columna que sustenta el arco de la escena, apoyado en el fuste de otra que está incompleta, y leyendo. Otra como el niño de doce años que se transmuta en el templo. Está al otro lado de ese mismo fuste. Y una tercera como Cristo, vestido de blanco, adulto. Está de pie, mirando al espectador, junto a Juan el Evangelista, que le muestra un libro al que Él no presta atención.

La escuela de Atenas (detalle). De izda. a dcha., Jesús niño, Rafael niño, Perugino, Jesús a los doce años y, más adelante, en pie y mirándonos, Cristo.

Tomé nota como un loco de aquellas coordenadas para comprobarlas después en la biblioteca, y cuando estuve listo retomé mi pequeño interrogatorio:

—¿Y Rafael?

—Está justo entre los dos primeros Jesús. Es el niño que posa la mano en el hombro de un varón vestido de azul, que a su vez apoya un libro sobre el fuste de la columna anterior, y a quien Rafael pintó con el rostro del Perugino, su primer maestro. Retratándose justo ahí nos está diciendo que él conocía el secreto de los dos niños Jesús desde que entró a pintar en el taller de su maestro.[39]

—Interesante —murmuré.

—Interesante no... —me corrigió Lucía—, *affascinante!*

6

Pequeños fantasmas

—¿Que has estado con Lucía Bosé y no me has llamado?

La verde mirada de Marina echaba chispas. Habíamos quedado para charlar un rato en nuestra cafetería favorita, en Moncloa, con la intención de despedirnos hasta la vuelta de las vacaciones. Ella se marchaba al día siguiente a Pamplona y yo a Castellón. No corrían buenos tiempos para las comunicaciones. En 1990 los teléfonos móviles eran un lujo y las llamadas interprovinciales costaban una fortuna. Era mejor contárnoslo todo antes de separarnos. Y yo, torpe de mí, lo primero que hice fue no ahorrarle detalle alguno de mi visita a Turégano. Qué error. Esa tarde descubrí que su padre y ella eran grandes admiradores de la actriz. Y también que Marina hubiera dado un brazo por conocerla. Entre ofendida y furiosa, me enumeró mil cosas que yo no sabía de Lucía. Detalles de su trabajo con los grandes maestros del cine italiano, Antonioni, De Santis o Fellini, y hasta de sus sonadas peleas con Luis Miguel Dominguín, que no la dejaba ni conducir sola por el Madrid de los cincuenta. Pero si me hizo sentir culpable por no haberla incluido en aquella visita, supo llevar al límite mis remordimientos poniéndome un pequeño fajo de folios por delante.

—¿Qué..., qué es esto?

—Mientras tú andabas por ahí de viaje, yo he estado haciendo algunas averiguaciones en la hemeroteca.

Su frase iba cargada de veneno.

—¿En la hemeroteca? ¿Tú? ¿Y qué buscabas? —pregunté sin saber aún si debía preocuparme o no.

—¡A tu fantasma, naturalmente!

Me quedé mudo.

Marina y yo hablábamos a menudo de mis intereses por lo sobrenatural. Sin embargo, desde el día en que nos conocimos me dejó claro que esas cosas la asustaban y que prefería no saber de ellas. Se consideraba una buena creyente, de misa de domingo y comunión, y ese tipo de temas prefería mantenerlos a raya. Con todo, algo le había hecho acercarse a mi terreno. Reconoció que no había dejado de dar vueltas a ciertas cosas que le había dicho camino de El Escorial, y que había decidido buscar algunas respuestas por su cuenta.

—¿No lo recuerdas? —dijo mientras perdía la mirada más allá del escaparate del café, ignorando los mazapanes que nos habían puesto por delante—. Me hablaste del hombre que te ha metido en todo esto como si fuera un fantasma. Que lo viste tú solo, que nadie más estaba en ese momento en la galería del museo y que hasta sentiste frío cuando te dio la mano. Incluso me contaste cómo se desvaneció cuando un grupo de turistas se os acercó...

—¿Te dije todo eso?

—¡Pues claro! Y es verdad, ¿no?

—Sí... Por supuesto.

—Entonces, si tienes razón y tu extraño maestro es una especie de aparición, su fantasma tiene que pertenecer a alguien que haya muerto en el Prado y que se haya quedado vagando por ahí, ¿cierto? —Su ingenuidad me hizo sonreír de oreja a oreja—. Y como en ese sitio no ha tenido que morir mucha gente, he ido a la hemeroteca para ver si descubría de quién podía tratarse.

—Se llama Luis Fovel. Es médico —le recordé.

—¡Vamos, hombre! Te mintió. No he encontrado a ningún doctor Fovel que haya fallecido en el Prado. De hecho, ese apellido no figura en ninguna de las necrológicas de Madrid de los últimos cuarenta años. En cambio —sonrió misteriosa—, sí tengo otro par de posibles candidatos para tu fantasma...

—¿En serio?

No sé por qué, no me costó imaginarme a Marina vestida de punta en blanco, sentada en los feos pupitres de madera de la Hemeroteca Nacional, en Tirso de Molina, esperando a que un funcionario en bata azul le acercara a la mesa tomos de viejos periódicos encuadernados. No debieron de ponerle ni una sola pega.

—El más reciente falleció en 1961 —continuó Marina, ajena a mis cábalas. Rebuscó entre su documentación una página en concreto y la colocó frente a mí—. Mira. Aquí está. ¿Lo ves?

—No puedes estar hablando en serio... —murmuré.

—¿Quieres hacer el favor de leer?

Marina me tendió la copia de una página del diario *ABC* fechada el 26 de febrero de 1961 que rezaba: «Robo frustrado en el Museo del Prado.» Tomé la crónica y empecé a repasarla por pura curiosidad. Contaba cómo, a eso de la una de la madrugada del día 25, el conserje del museo y su esposa habían oído desde su dormitorio —sito en el mismo recinto de la pinacoteca— un par de golpes bruscos en la calle. Salieron para ver qué podría haberlos causado y se encontraron con un varón malherido que tenía un cable atado alrededor de la cintura. Estaba descoyuntado y tragaba aire con dificultad. De hecho, parecía haberse desplomado de la fachada del museo que da a la calle Ruiz de Alarcón. Al parecer, se había caído de la cornisa del edificio mientras intentaba colarse en su interior. Y según el periódico, falleció poco antes de que llegaran los servicios de socorro.

—Sigue, sigue leyendo... —me animó Marina—. Te he traído también las noticias que se publicaron en *El Caso* y *La Vanguardia.*

La crónica de *El Caso* resultó más rica aún en detalles. «Se mata al intentar robar en el Museo del Prado.» El periódico reconstruía bastante bien el recorrido del ladrón por las cornisas del Prado. Su objetivo era una claraboya que daba a la galería de pintura italiana. Su plan era descolgarse por ella y dirigirse a la sala de Goya, donde recortaría de sus marcos las dos *Majas* y se las llevaría envueltas en papel de estraza. Lo siniestro es que todo falló por un traspié. El malogrado ladrón era un vecino de Vallecas de dieciocho años; un visitante asiduo del museo, sin antecedentes criminales, que se llamaba Eduardo Rancaño Peñagaricano.

—¡Imposible! —murmuré—. No puede ser él. Demasiado joven.

—¿Estás seguro?

—Absolutamente.

—Por desgracia no publicaron ninguna foto de Rancaño en los periódicos. Así podrías ver si...

—No me hace falta —la detuve—. No es él. El doctor Fovel no es un jovencito, Marina.

Ella me miró como si aquel juego le divirtiese.

—Está bien. ¿Te he dicho que tengo otro candidato? Éste es más culto. No tan joven. Y tiene una prestancia que encaja a la perfección con tu doctor. Fue poeta. Se llamaba Teodosio Vesteiro Torres. Y se suicidó enfrente mismo del museo... hace más de cien años.

—Nunca lo oí nombrar.

—Pues perteneció nada menos que al círculo de amistades de Emilia Pardo Bazán, y hasta publicó algunos libros.

—¿Estás segura?

—¡Desde luego! ¿Quieres saber lo que he averiguado de él o no?

Asentí.

—Por supuesto, a Teodosio Vesteiro le gustaba el arte. Había nacido en Vigo en 1847 y a los doce años su familia lo internó en el seminario de Tuy, en Pontevedra. Debió de ser un chico listo, porque siendo todavía estudiante lo pusieron al frente de la cátedra de Humanidades de su centro. Y nada menos que por orden del obispo de la diócesis. Pero aquello no duró para siempre. Cumplidos los veinticuatro y sin llegar a ordenarse sacerdote, dejó el seminario y se vino a Madrid a ganarse la vida.

—Hummm... ¿Sabes por qué dejó la vida religiosa?

—Al parecer, la razón pura y la filosofía se cruzaron en sus lecturas. Dijeron que empezó a ver las cosas de otro modo. Quién sabe. A lo mejor también hubo una mujer de por medio, aunque de eso nadie dijo nada...

—Interesante —murmuré—. ¿Y qué pasó?

—Pues que en Madrid la vida le resultó más complicada que en Tuy. Tuvo que ganársela dando clases de música y comenzó a escribir como un loco. El poco tiempo que le quedaba lo pasaba deambulando por el museo o en tertulias con otros poetas.

Marina bajó la mirada a uno de los folios que había traído y prosiguió:

—Su gran obra fue una enciclopedia biográfica en cinco tomos con las vidas de gallegos ilustres. Pero también redactó dos tratados de teología y filosofía, dos dramas, dos libros de poemas, dos de leyendas..., y hasta compuso una zarzuela.

—Todo un talento. ¿Y se sabe por qué se suicidó?

—Lo cierto es que no. No dejó una nota. Ni una explicación. Al contrario: quemó muchas de sus obras antes de tomar su fatal decisión. Lo poco que se conoce de él es gracias a que algunos de sus amigos enviaron cartas de condolencia a los periódicos de la época, y le echaban la culpa a sus lecturas de Goethe o de Rousseau, y al ambiente romántico, derrotista, que flotaba entre los intelectuales de la época. ¿Sabías que en esos días hubo muchos genios que prefirieron el suicidio a tener una vida vulgar? Gérard de Nerval o Larra fueron los más famosos, pero hubo decenas.

—Ya... —dije sin demasiado convencimiento—. ¿Y dices que se mató en el museo?

—En el museo, no. *Frente al museo*. En un lugar que llamaban el Salón del Prado. Debió de ser más o menos sobre la una de la madrugada del 13 de junio de 1876. El día, por cierto, de su vigesimonoveno cumpleaños.

—También murió joven.

—Se pegó un tiro. Mira cómo lo cuenta este periódico. Es sobrecogedor: «Teodosio murió de rodillas, vueltos los ojos al cielo, colocada la mano izquierda sobre el corazón.»[40] Y la derecha en el revólver, les faltó decir.

—Qué pena.

—Sí. El suceso dejó muy impactada a la comunidad gallega en Madrid. Tanto que un año más tarde sus amigos poetas aún hablaban de la «muerte del Prado». Pardo Bazán, Francisco Añón, Benito Vicetto y algunos más se juntaron para escribir un poemario en su honor que titularon *Corona fúnebre a la memoria del inspirado escritor y poeta gallego Teodosio Vesteiro Torres*.[41] Aquello desató una polémica tremenda.

—¡Anda!, ¿y por qué?

—¿No te lo imaginas? ¡Estaban reivindicando a un suicida! Un hombre que se quitaba la vida era un apestado para la España católica de entonces. Ni siquiera pudieron enterrarlo en un camposanto. La verdad, Javier, es que leyendo estos artículos se ve que su muerte fue un mal trago para muchos.

Revolví distraído aquellos papeles.

—Fíjate en su foto —me detuvo Marina ante la imagen de un hombre de frente ancha, nariz aguileña y barba bien recortada—. Por suerte la publicaron en la *Corona fúnebre*.

—Pues tampoco es Fovel —dije al punto.

—¿Estás seguro?

Miré con firmeza y cariño a Marina, tratando de no ofenderla. Había hecho un esfuerzo por mí, y eso significaba más de lo que ella podía imaginarse.

—Tengo dos razones para estarlo. La primera: que el doctor Fovel debe de rondar los sesenta y no creo que pudiera confundirlo con alguien con la mitad de años. Y la segunda: que, aunque los rasgos de este Vesteiro guardan alguna familiaridad con él, te aseguro que esas orejas y la forma del mentón no son las del doctor.

—Pues entonces sólo nos queda una forma de averiguar su verdadera identidad.

Sin amilanarse, Marina me cogió una mano para enfatizar lo que planeaba decirme.

—¡Preguntárselo!

—¿Preguntárselo? —me espanté—. ¿El qué? ¿Si es un fantasma y se llama Vesteiro?

—Bueno —sonrió—. Si tú no te atreves, puedes llevarme a mí. Ya que no me has presentado a Lucía Bosé, al menos me encantaría conocer a ese tipo.

—¿Sabes lo que pienso? —Puse mi otra mano sobre la suya—. Que estás loca.

7

Botticelli, el pintor hereje

8 de enero de 1991. Martes por la tarde. Calle Ruiz de Alarcón, 23. Allí estaba por tercera vez. Y solo.

Después de casi veinte días de vacaciones, sin posibilidad de avisar al *fantasma del Prado* de mis planes ni de concertar una cita formal, regresaba en su busca. Nuestros encuentros anteriores —extravagantes, intensos, súbitos— habían macerado de forma extraña en mi memoria. De ser algo anecdótico, quizá una buena historia con la que salpimentar una cena con amigos, habían ido evolucionando en esos días de parón navideño hasta convertirse en un desafío personal. A quinientos kilómetros de Madrid, lo sucedido en el museo terminó por monopolizar mis recuerdos. El maestro —fuera quien fuese— se había adueñado del primer lugar en la lista de personas interesantes que había conocido en la capital. Y con razón. Nuestras dos citas habían logrado que explorara asuntos que, de otro modo, no hubiera ni sospechado que existían. Era como si el destino me hubiera llevado ante el único mago del planeta capaz de descorrer el velo que separa lo visible de lo invisible en el arte. Un demiurgo que, incluso en la distancia, me empujaba a reflexionar sobre las causas profundas de la pintura. Y ahora, con la perspectiva que me habían dado las vacaciones, me sentía preparado para recibir otra de sus clases. Quería más. Había despertado a un universo nuevo y excitante. Necesitaba recorrerlo. Y de pie, frente a la entrada del museo, incluso el frío seco de enero y la pizca de remordimiento que atenazaba mi corazón me parecían obstáculos insignificantes ante la recompensa que me aguardaba en su interior.

Lo del remordimiento, claro, era por Marina. Había regresado a Madrid aquella misma mañana para retomar las clases y no le había dicho que mi primera parada no iba a ser su facultad, sino el Prado.

Por supuesto que se me había pasado por la cabeza que me acompañase, pero lo pensé mejor. No habría sido una buena idea. Era más que probable que al maestro no le hiciera gracia que me presentara con una invitada. Incluso corría el riesgo de que, al descubrirme junto a una desconocida, mi guía decidiese no *aparecer* siquiera. Y ésa era una eventualidad que no estaba dispuesto a asumir.

Esta vez, no obstante, había tomado una precaución pensando sólo en ella: llevaba encima una grabadora y un par de casetes de noventa minutos en los que, si Fovel me dejaba, lo registraría todo. En cuanto Marina escuchara la voz grave y elocuente del maestro, tal vez se le pasaría su obsesión por los fantasmas del museo.

Y a mí.

Nada más poner el pie en la pinacoteca, supe que esa visita iba a ser diferente.

Dios santo. El lugar estaba atestado de visitantes. Había entrado por la llamada *puerta alta de Goya*, la que se eleva sobre el área de las taquillas, y el tumulto alrededor del *Furor* —una soberbia estatua de bronce de Carlos V pateando a un demonio— intimidaba de veras.

Algo contrariado por aquella marabunta, descendí hasta la galería de pintura italiana. Si el maestro, como pensaba, rehuía las multitudes, ése no iba a ser el mejor momento para dar con él.

Pero me equivoqué.

Al atravesar la gran galería donde duermen los Tintorettos, Rafaeles o Veroneses, lo vi. Estaba allí, de pie, erguido en medio de uno de los brazos más densos de la marea de grupos y turistas que deambulaban de cuadro en cuadro como si miraran los escaparates de las rebajas. Enfundado en su impecable abrigo de paño, Fovel observaba en silencio el trajín que lo rodeaba. No parecía incómodo. Tampoco curioso. Lo miraba como si estuviera montando guardia en la sala. Nada más.

Apreté, pues, el paso hacia él y, tras sortear a un grupo de operarios ocupados en transportar un mustio abeto navideño sacado de Dios sabe dónde, no tardé ni un minuto en alcanzarlo.

—Buenas tardes, doctor. Me alegra encontrarlo de nuevo.

Fovel me respondió con una leve inclinación de cabeza. No pareció demasiado impresionado al verme.

—Pensé que no le gustaban las masas... —añadí.

El maestro tardó todavía un segundo más en reaccionar y, como si se desperezara de un prolongado letargo, dijo:

—Deberías saber que sólo hay dos formas de estar solo. Sin nadie cerca o en medio de una multitud.

No detecté acritud alguna en sus palabras. Al contrario. Era como si hubiéramos dejado nuestra última conversación sólo unas horas antes y ahora la retomáramos con naturalidad.

—Hacía mucho que no te veía —apostilló.

—He estado fuera.

—Entonces, supongo que habrás aprovechado el tiempo para meditar todo lo que hemos hablado. Incluso puede que tengas alguna pregunta interesante que hacerme, ¿no es cierto?

—Tengo muchas, doctor. ¿Le importa si...? —pregunté señalando mi casete.

Fovel levantó la vista del suelo y miró el artefacto con desprecio. Hizo un gesto de desaprobación con la mano y yo, dócil, me lo guardé sin rechistar en un bolsillo del anorak.

—La verdad es que, ahora que lo dice, sobre todo hay una cuestión que casi no me atrevo ni a formular...

—El mundo es de los valientes. Hazla. Quedará entre nosotros.

Una leve sonrisa afloró del rictus de mi interlocutor. Fue casi imperceptible. Fovel había elevado su poderosa mandíbula, dejando que se le insinuaran dos graciosos hoyuelos a ambos lados de la boca. Su gesto me pareció de repente tan terrenal, tan próximo, que durante un segundo sentí que podría llegar a sincerarme con él.

—¿Y bien? —insistió—. ¿Cuál es esa duda, hijo?

—No me lo tome a mal, doctor, pero, usted que conoce tantas cosas de este lugar, ¿sabe si hay algún fantasma en el Prado?

Por supuesto, tanteé el terreno con cierta cautela. El cuerpo me pedía preguntarle de un modo más directo: «¿Es usted un fantasma, doctor?», o quizá «¿No se llamará usted Teodosio Vesteiro, por casualidad?». Pero la prudencia se impuso.

—¿Un fantasma?

—Sí —dudé—. Ya sabe. Quizá alguien se quitó aquí la vida y luego..., bueno...

El doctor me taladró con la mirada, como si finalmente comprendiera mi pregunta.

—No sabía que te interesaran tanto esas cosas, hijo.

Asentí con la cabeza mientras mis sentidos percibían

cómo la afabilidad del maestro se iba desvaneciendo. En ese momento Luis Fovel giró sobre sus talones y, echando a andar entre la turbamulta que nos rodeaba, me gritó:

—¡Sígueme!

Obedecí. Claro.

Nuestro paseo fue cortísimo. Me condujo hasta una de las esquinas de la sala contigua a la galería italiana. Para mi sorpresa, seguían sin importarle los turistas o los niños que correteaban de acá para allá. De repente sólo tenía ojos para tres hermosas tablas renacentistas enmarcadas en unos soportes labrados con primor que se encontraban frente a nosotros. Si hubieran estado mejor iluminadas, me hubieran parecido otros tantos ventanales abiertos a un bosque. A un mundo adorable. Sereno. Asomado a una mar en calma.

«¡Los *panneaux* de Botticelli!», pensé.

Cualquiera que haya visitado siquiera una sola vez el Museo del Prado los ha visto. Se trata de tres llamativos paneles, de idéntico tamaño, que muestran algo que a finales del siglo XV era toda una innovación pictórica: un paisaje. En este caso, un bosque de pinos junto a la costa mediterránea atravesado por una escena de caza en la que la protagonista es una mujer desnuda que huye de un jinete. Se trata de las únicas obras del pintor de *La Primavera* que se conservan en el Prado. Yo sabía que su incorporación al museo se había producido en vísperas de la guerra civil española, cuando el político conservador catalán y coleccionista de arte Francesc Cambó decidió donarlas, consciente —y cito sus palabras literales— de que «llegaban a transformar mi estado de espíritu [...] y a crear en el fondo de mi alma un intenso júbilo».[42] Y eso era precisamente lo que él deseaba que experimentaran los españoles que las contemplaran. Por eso yo las conocía. Por eso me había detenido tantas veces ante ellas. Y por eso me sorprendía al verlas ahora, arrastrado por el ímpetu del maestro.

—Pues aquí lo tienes —dijo el maestro señalando al primero de los paneles—: éste es el único fantasma que encontrarás en el Museo del Prado.

Debí de parecer confundido. Por mucho que me fijara en las tablas —que casi hubiera podido describirle de memoria—, no era capaz de percibir en ellas nada que me evocara un alma en pena. Fovel lo notó.

—Ninguna guía del museo describe estas pinturas como la representación de una aparición fantasmagórica, lo sé... —susurró cómplice—, pero eso es exactamente lo que son. Tres escenas de terror inspiradas en uno de los cien cuentos del *Decamerón* que Giovanni Boccaccio escribió hacia 1351.

—¿Un cuento? ¿De fantasmas? ¿Como los de Dickens?

—Exacto, hijo. Un relato moralizante como los que Charles Dickens escribiría quinientos años más tarde. Sólo que el que inspiró estos paneles se titula «El infierno de los amantes crueles», y reúne en un mismo cuento visiones a fecha fija, una maldición y una venganza.

Eché un rápido vistazo a la cartela más próxima. Los conservadores del museo llamaban a esas obras *Nastagio degli Onesti*. Ni rastro de infiernos o amantes. Por un momento pensé que el doctor estaba tratando de eludir mi cuestión conduciéndome hasta un grupo fascinante de pinturas para desviar nuestra charla hacia ellas. Pero no. El maestro hablaba completamente en serio. En aquel cuadro había fantasmas.

—El protagonista de estos paneles es ese joven de jubón gris, calzas rojas y botas amarillas que ves en las tres tablas. En el primero aparece incluso dos veces. ¿Lo ves?

—¿Es...? ¿Es el fantasma?

Nastagio degli Onesti. Sandro Botticelli (1483). Panel I. Museo del Prado, Madrid.

Nastagio degli Onesti. Panel II.

Nastagio degli Onesti. Panel III.

—¡No! —rió—. Aunque sea algo raro encontrar a una misma persona representada varias veces en una composición, no es necesariamente un atributo sobrenatural. Es más bien una señal.

—¿Una señal?

—Cuando detectes a un personaje duplicado en una pintura, ten por seguro que la obra te está queriendo decir algo. Es un cuadro que cuenta una historia. Y lo hace casi como un cómic. Como en éstos, los protagonistas aparecen una y otra vez en las viñetas.

Me acordé entonces de los «repetidos» que había descubierto en *La escuela de Atenas* con Lucía Bosé, pero me abstuve de comentarlo...

—El muchacho del jubón se llama Nastagio —prosiguió—. Por lo que nos dice Boccaccio, este joven adinerado llevaba un tiempo pretendiendo a una florentina de la que sólo sabemos que era hija de cierto Paolo Traversaro. El caso es que, contra las costumbres de la época, ella ha decidido rechazar su amor. Lo que muestra el lado izquierdo de la primera tabla es cómo Nastagio, desesperado ante su negativa, decide refugiarse en un pinar cercano a Rávena para quitarse la vida. Fíjate en el muchacho. Parece desesperado. Hundido. A punto de cometer una locura.

—¿Y qué quiso decir Botticelli cuando lo pintó con una rama en las manos?

—¡Ah! Ahí es donde empieza realmente nuestra historia. Estamos en mayo. En el imaginario europeo del momento, es la época tradicional de las visiones.[43] Y lo cierto es que, mientras medita sobre el modo de suicidarse, Nastagio contempla una escena tremebunda: de repente surge de la foresta un jinete sobre un corcel blancos, blandiendo su espada contra una muchacha pelirroja que huye de él despavorida. Nastagio interrumpe esa carga como puede, toma una rama del suelo y se enfrenta al caballero y a sus perros de caza, pero éste le ordena que se aparte. «¡Dejadme cumplir con la justicia divina!», grita con la ira pintada en el rostro. «Debo ejecutar sin descanso el castigo que merece esta mala mujer... Cada viernes a la misma hora la alcanzo en este lugar.»*

—No, no entiendo...

—Es muy sencillo, hijo. Lo que Nastagio ha visto es una aparición fantasmal. Una visión de ultratumba que se repite una y otra vez en ese claro del bosque. De hecho, en la segunda tabla lo verás mucho mejor. En esta nueva escena, el jinete, que se llama Guido, ha desmontado de su corcel y se ha abalanzado contra la muchacha, a la que, según Boccaccio, terminará arrancándole el corazón y las entrañas, y se las dará de comer a sus canes. «Pero de inmediato», nos explica el autor del *Decamerón*, «por el poder y la justicia de Dios, se levanta como si no hubiera muerto y retoma su triste huida. Mi persecución y la de los perros empieza de nuevo».

—¿Y por qué?

—En el fondo es todo bastante fácil de comprender, Javier. El caballero Guido y la dama que persigue llevan muertos mucho tiempo. Él también sufrió un desengaño amoroso por culpa de esa dama desnuda. Y como Nastagio, había acudido al bosque y allí se había quitado la vida. Fue entonces cuando cayó sobre ambos la maldición de tener que perseguirse durante toda la eternidad. A él por cobarde. A ella porque «su corazón duro y frío no aceptó ni el amor ni la piedad». De hecho, Botticelli quiso subrayar con sus pinceles esa idea del ciclo eterno representando de nue-

* Los entrecomillados son extractos literales del texto del *Decamerón* de Giovanni Boccaccio, quinta jornada, octava narración.

vo a los dos fantasmas en el fondo de la escena, persiguiéndose sin descanso. ¿Los ves?

Asentí.

—Pues sí que es una historia triste...

—¡Aunque no para Nastagio!

Miré a Fovel sin comprender. Él prosiguió:

—Al tropezarse con aquellos fantasmas y sentirse tan identificado con lo que le había dicho el caballero, nuestro Nastagio urdió un plan. Es el que vemos en el tercer panel de la serie. Fíjate bien. Acércate. Lo que hizo fue tan simple como ingenioso: invitó a la familia de Paolo Traversaro a un festín en el campo para el viernes siguiente. Tal y como refleja esta tabla, lo dispuso todo de la mejor manera. Y a la misma hora que la semana anterior, jinete, perros y doncella fantasma irrumpieron en el banquete, causando gran estupor entre los invitados.

—Puedo verlos. La amada de Nastagio y sus damas de compañía vuelcan la mesa muertas de miedo, mientras los hombres miran sorprendidos al jinete.

—¿Y ves al muchacho? Está ahí, impertérrito, explicándoles tranquilamente todo lo que sabe. Las mujeres se apiadarán de la desgraciada, y la orgullosa hija de Traversaro comprenderá en el acto la moraleja de ese incidente. «La terrible escena», escribirá Boccaccio, «tuvo además otro efecto positivo. El pavor estremeció hasta tal punto a las jóvenes de Rávena que, a partir de entonces, se mostraron más dóciles con los deseos de los hombres».

—Pero dígame, doctor: ¿se casaron o no Nastagio y la hija de Paolo Traversaro?

—Júzgalo tú mismo. Observa a la derecha del tercer panel. ¿No ves a una mujer tomando del brazo a Nastagio? Es una de las que antes chillaban en el otro extremo de la escena. La dama del vestido rojo. Su amada. Además —añadió—, existe un cuarto panel que no está aquí, sino en el palacio veneciano de la familia para el que fue pintado. Esa última tabla muestra una escena nupcial en la que todos celebran la buena decisión de la hija de Traversaro.

—Eso me hace caer en la cuenta de otra cosa. ¿Quién querría encargarle una historia de fantasmas al gran Botticelli? ¿Y por qué?

—Pues, aunque no lo parezca, estás ante un lujosísimo regalo de bodas del *quattrocento*. Estas pinturas debieron de formar parte de un gran *cassone*, un cofre de primera clase. De hecho, si prestas atención al tercer panel, verás varios escudos colgando de los árboles que, debidamente interpretados, responderán a tus preguntas. El primero, a la derecha, pertenece a una familia de ricos e influyentes comerciantes florentinos, los Pucci. El del centro es el escudo de los Médicis, los señores de la ciudad, y el de la izquierda es el blasón de los Bini. Sabemos, por los registros de ese periodo, que en 1483 Giannozzo Pucci se desposó con Lucrezia Bini ante la presencia de Lorenzo el Magnífico. ¡Ahí lo tienes! Los poderosos Pucci estaban lanzando una advertencia a la novia, disfrazada de sofisticada obra de arte, para que les fuera sumisa y fiel. Seguramente estas imágenes adornaron durante años el baúl de vestidos del dormitorio de la señora Pucci.

Me quedé un instante meditando las palabras del maestro, absorto ante lo que hasta ese momento había creído que eran unos simples paisajes. Y, a la vez, atónito ante su habilidad para reconducir mi pregunta sobre los fantasmas del Prado hacia un terreno cómodo para él.

«Es un cuadro que cuenta una historia...»

—Como ves, hijo —remató Fovel, satisfecho—, el gusto por lo sobrenatural no es algo reciente.

—Cierto.

—En cambio, lo que sí supuso toda una novedad para la época fue el tratamiento que el maestro Botticelli dio a sus aparecidos. El pintor tenía treinta y siete años cuando elaboró estos paneles. Un año antes había terminado *La Primavera*, influido por las ideas (¡otra vez!) de Marsilio Ficino, y estaba a punto de acometer *El nacimiento de Venus*. Se encontraba, pues, en la cúspide de su carrera. Sabía cómo pintar lo sobrenatural y lo hacía con una sencillez que no volverá a verse hasta la llegada de Rafael a la ciudad, años más tarde.

—¿Sabe? Me resulta muy curioso cómo conecta usted todo...

—¡Porque todo está conectado!

—¿También las profecías? ¿Es usted capaz de implicar a Botticelli en la epidemia del *Apocalypsis Nova*?

—¿Es que lo dudas, hijo?

Sonrió con sorna sin dejar de hablar:

—Todos los historiadores de este periodo saben que, sólo unos años después de que Botticelli pintara estas escenas, Florencia se convirtió en la ciudad de las profecías por excelencia.

—¿Bromea?

—En absoluto, hijo. En los años posteriores a los *panneaux* de Nastagio se incuba en Florencia una polémica sin precedentes que afectó de lleno a nuestro maestro.

—No puedo creerlo.

—Yo no miento, Javier. La culpa de ese brote apocalíptico la tuvo Girolamo Savonarola, un dominico que entonces se convirtió en el religioso más aclamado de la ciudad. Sus ardorosos sermones contra la corrupción de la Iglesia y de las instituciones políticas, pero también contra los vicios, los lujos y los desmadres de Florencia, pronto se hicieron célebres en toda Italia. Hasta tal punto llegó su fama y su número de seguidores que Lorenzo de Médicis y Alejandro VI trataron varias veces, sin éxito, de acabar con él. Incluso el propio Miguel Ángel llegó a escucharlo y dijo que tenía un tono de voz tan penetrante, tan agudo, pero tan envolvente a la vez, que ya no pudo quitárselo de la cabeza el resto de su vida.

—¿Y era grave lo que predicaba?

—Mucho más que grave, hijo. Aquel *perro del Señor** se refería una y otra vez a la Iglesia como «esa orgullosa ramera» que había traicionado el mensaje evangélico de Cristo. Incluso llegó a mostrar en público su deseo de que el rey Carlos VIII de Francia reclamara sus derechos sobre Nápoles y Milán e invadiera Italia para restablecer el orden divino sobre el país echando de Roma al papa. Savonarola soñaba con la instauración de una teocracia en Florencia y amenazaba a las autoridades con toda clase de castigos divinos si no daban el paso hacia la unificación del poder religioso y el político. En su convento, el de San Marcos, se postraba ante las obras iluminadas de Fra Angelico y se embebía del espíritu de los profetas de la Biblia, saliendo a predicar en éxtasis.

—Y supongo que comenzó a tener visiones y a canalizar profecías...

—Pues sí. Aquel monje de aspecto escuálido, ojos de loco y hábitos raídos era el candidato perfecto para esa clase de trances. Junto a otro hermano de San Marcos, fray Silvestre d'Andrea Maruffi, predicó enseguida vaticinios sin cuento sobre el deplorable futuro que le aguardaba a la ciudad. Maruffi era sonámbulo y a menudo se lo veía deambular por los tejados de su claustro. Al despertar refería visiones terribles que Savonarola anotaba con cuidado. Pron-

* A los dominicos los llamaban en Italia *Domine Cane*, «perros del Señor».

to también él desarrolló su propio don de la premonición. No sólo se atribuyó capacidades proféticas, sino que compuso dos tratados, el *De veritate prophetica dyalogus* y el *Compendio di Revelatione*, en los que no dudó en anunciar un gran cambio para la Iglesia y la inminente llegada de un periodo de mil años de reinado de Cristo en la Tierra.

—Es decir, un dominico, un fraile compañero de inquisidores, se lanza a predicar todas esas cosas rayanas en la herejía... ¡Y nadie podía pararlo!

El maestro asintió.

—Además, Florencia era en esos días una ciudad llena de herejes, tolerante con las ideas más heterodoxas. Al principio debió de pasar desapercibido, pero pronto el entorno más intelectual de Florencia, también alejado del canon católico pero mucho menos dogmático que el dominico, comenzó a atacarlo. Marsilio Ficino, el maestro de Botticelli, llegó a llamar a Savonarola «emanación del Anticristo». Imagínate.

—¿Y cómo fue que Botticelli pasó de seguir a Ficino a comulgar con un exaltado como Savonarola?

—Bueno... Eso es todo un enigma. Nadie sabe cuándo ni por qué comenzó a alejarse de los neoplatónicos de la Academia, pero por alguna razón comenzó a sentirse atraído por los sermones del monje loco. Botticelli, que fue amigo íntimo de Leonardo da Vinci y que incluso había llegado a abrir una pequeña taberna con él,[44] se alejó de la luz y cayó en las tinieblas más densas. En sus famosas biografías de pintores, Vasari llegó a decir que se hizo «muy partidario de esta secta», y que «esto provocó que abandonara la pintura y, al no tener ingresos, lo precipitó en un gran desorden».[45]

—Qué horror.

—Lo peor aún estaba por llegar.

—¿En serio?

—Todavía más deplorable fue que Savonarola convenciese al pintor para que destruyera todas las obras de su época pagana. Lo invitó a sacarlas de su taller y a quemarlas en las «hogueras de las vanidades» que organizaba en la ciudad cada semana. Quizá hayas oído hablar de ellas: piras de esculturas, muebles, ropas, utensilios, libros o pinturas que los arrepentidos florentinos comenzaron a incinerar para evitar la cólera de Dios que, según anunciaba el dominico, arrasaría su ciudad.

Me llevé las manos al rostro.

—Dios mío...

—Fue un momento funesto. Impropio del Renacimiento. Pero no creas que la influencia de Savonarola sobre Botticelli se limitó a empujarlo hacia su particular credo fanático (él lo llamaba la *renovatio ecclesiae*). No. El genial Sandro llegó incluso a pintar con arreglo a sus ideas, siguiendo con una asombrosa meticulosidad su programa ideológico.

—No... —murmuré.

—Sí —corrigió—. En 1501, muerto ya el polémico predicador, Botticelli se enfrascó en la elaboración de una tela que, para que no cupiera duda de su autoría, fechó y firmó. Por alguna razón fue la única de toda su carrera en la que hizo eso. Hoy se conoce como *La Natividad mística*. Se conserva en Londres, y en ella el nacimiento de Jesús no se nos presenta como un acontecimiento del pasado, sino como un evento profético que vendrá acompañado de otros signos: los ángeles abrazarán a los hombres, y los diablos serán golpeados y derrotados. Es, entre otras cosas, lo que su maestro dominico había anunciado en el sermón de la Navidad de 1494:[46] que la Florencia corrupta de los Médicis caería, que el papado se hundiría, que moros y turcos serían convertidos al cristianismo y que llegaría una era de prosperidad y conexión directa con Dios.

—¿Está usted seguro?

—Absolutamente.

El doctor Fovel echó entonces mano al bolsillo y extrajo una reproducción en color de la obra de la que estábamos hablando. «¿Cómo diablos tiene *precisamente* esa imagen en el bolsillo?», pensé. Se trataba de una doble página arrancada de una vieja revista. La extendió con parsimonia ante mis ojos, ajeno a las cinco o seis personas que a nuestro alrededor no perdían de vista ni uno de sus gestos. Aunque la imagen estaba reproducida en color, yo intuí que no debía de reflejar ni de lejos la majestuosidad y el preciosismo del cuadro original.

Tras terminar de desplegarla y de aplanarla con las manos, el maestro prosiguió:

—Botticelli la pintó tres años después de que Savonarola, fray Silvestre Maruffi y fray Domenico da Pescia, otro de sus fervientes seguidores, fueran ahorcados y quemados en la piazza della Signoria de Florencia. Se los condenó por herejía. Y como se había abierto un proceso para perseguir a todos los partidarios de este fraile, el pintor tuvo que poner especial cuidado en disfrazar su filiación.

—Entonces, ¿cómo puede estar tan seguro de la relación entre esta Natividad y la herejía de Savonarola?

—¡Oh! Basta con haberse leído sus obras y saber dónde mirar en el cuadro —sonrió.

—Ya...

—Por ejemplo, en su *Compendio di Revelatione,* Savonarola dedicó bastantes páginas a explicar lo que él llamaba «los doce privilegios de la Virgen». Eran una especie de letanías breves que entonaban sus fieles durante las procesiones con las que recorrían la ciudad. Pues bien: si prestas atención a las filacterias, esas banderolas que sostienen los doce ángeles que sobrevuelan la escena, verás que contie-

La Natividad mística. Sandro Botticelli (1501). The National Gallery, Londres.

nen varias frases inscritas. Podemos leer sólo siete de las doce originales, pero todas son «privilegios» reproducidos palabra por palabra del libro de Savonarola. Y además, escritos en italiano, como allí. *Sposa di Dio Padre Vera, Sposa di Dio Padre Admiranda, Sacrario Ineffabile...*

—¿Y ya está? ¿Ésa es toda su prueba?

—Por supuesto que no. Junto a la firma de Botticelli se esconde también un pequeño enigma. Se trata de una inscripción redactada en un griego plagado de errores, que dice más o menos esto: «Este cuadro de finales del año 1500, durante las turbulencias de Italia, yo, Alessandro, lo pinté en el tiempo medio después del tiempo, según el XI de san Juan en el segundo dolor del Apocalipsis, en la liberación de los tres años y medio del Diablo; después será encadenado en el XII y lo veremos [precipitado] como en el presente cuadro.»[47]

—¿Y eso qué quiere decir, doctor?

—Es evidente que nos remite a dos capítulos concretos del Apocalipsis de san Juan. ¿No es cierto?

—El 11 y el 12.

—Así es. El capítulo 11 del Apocalipsis habla de la llegada de una gran tribulación a la Tierra, y menciona a dos testigos (en la mente del evangelista, Enoch y Elías) que profetizarán en la ciudad santa durante mil doscientos sesenta días echando fuego y truenos por la boca. Ambos serán asesinados y ascendidos después a los cielos en una nube. Savonarola llegó a creer que ese texto se refería a él y a su compañero de convento, fray Domenico da Pescia. Se da, además, la curiosa circunstancia de que ambos llevaban tres años y medio predicando (algo más de mil doscientos sesenta días) cuando fueron condenados a muerte, ahorcados y quemados. «Asesinados» y «ascendidos al cielo en una nube» de humo, dicho sea de paso.

—Y echando fuego por la boca... —añadí.

—Botticelli utilizó, pues, el Apocalipsis para hablar en clave de su maestro. En cuanto al capítulo 12 —prosiguió Fovel—, en él se menciona otro periodo de tres años y medio tras el cual llegará a la Tierra un ángel que derrotará a Satán e instaurará un reino milenario (esto es, que durará mil años) en el que los verdaderos creyentes y los mártires, con Jesús a la cabeza, señorearán el mundo. Cuando Botticelli pintó esta obra, creía a pies juntillas que él estaba viviendo en ese periodo previo a la nueva Natividad del Señor.

—Pero ¿de veras creía que iba a regresar Cristo?

—No es una idea tan extraña, hijo. Muchos en Florencia estaban convencidos de que eso sucedería alrededor del año 1500. Y aunque el propio Savonarola desestimó esa fecha en alguno de sus sermones, al mencionarla la hizo correr aún más de boca en boca. ¿Sabes lo más curioso de esto? Que el dominico esperaba ese instante de renovación para, como tarde, 1517.[48] Para los suyos esas esperas, esas idas y venidas de fechas terminaron haciéndose insufribles. El monje loco tuvo que vérselas incluso con veinte de sus discípulos, que ya habían montado un conventículo propio y nombrado un Papa Angélico, cierto Pietro Bernardino, porque semejante espera se les hacía insoportable.[49]

—¿Otra vez el Papa Angélico?

—Sí, hijo. Otra vez. La idea de un papa reformador, casi un ángel enviado del cielo, nunca dejó de sobrevolar esta época. Por cierto, ¿sabes quién fue, muertos ya Savonarola y Botticelli, uno de los últimos defensores de su inminente llegada?

—Sorpréndame, doctor —sonreí.

Fovel arqueó sus grandes cejas plateadas, arrugando la frente como si fuera a dar el golpe de gracia a aquella conversación.

—¿Recuerdas la familia que encargó estas tres tablas del Prado al maestro Botticelli?

—Los Pucci.

—Muy bien. Pues un bisnieto de aquel matrimonio, llamado Francesco Pucci, escribiría un tratado llamado *De Regno Christi* en el que anunciaba que la curia romana sería abolida a causa de sus pecados antes de acabar el siglo XVI, y que llegaría *uno nuovo ordine* y *uno supremo pastore*.

—¡Se cierra el círculo! —exclamé—. ¿Y cómo acabó ese Pucci?

—Bueno... Lo cierto es que tuvo una vida muy intensa. Viajó por toda Europa. En Cracovia conoció al famoso mago y astrólogo inglés John Dee, del que dijo haber aprendido a comunicarse con los ángeles, y a quien acompañaría hasta Praga para presentar sus respetos a Rodolfo II, el «emperador alquimista».[50] Con una vida así, era de esperar que terminase con sus huesos en la cárcel, e incluso que conociese a Giordano Bruno en los calabozos. Por desgracia, ya no salió de allí. Fue condenado por hereje y quemado en la hoguera en 1597, en la misma plaza pública en la que tres años más tarde sería ejecutado Bruno.

—Vaya época, doctor.

—Y vaya gentes.

—Sí. Tiene razón. ¡Y vaya gentes!

Durante unos instantes, los dos guardamos silencio. Nuestros ojos regresaron instintivamente a los hermosos trazos de los *Nastagio degli Onesti*, como si pudieran encontrar en ellos algo de la paz perdida por Botticelli al cambiar de fe. En ese instante intuí que la lección del maestro había terminado, así que, antes de que decidiera esfumarse sin concretar nuestra próxima cita, traté de cerrar un encuentro con él.

—¿Cuándo volveremos a vernos, doctor?

Fovel apartó la vista de las tablas y me miró como si yo no estuviera allí.

—¿Vernos?... —balbució como extraviado.

—Sí. Quisiera saber si le vendría bien que regresara en estos días o si...

—¿Has necesitado tenerme apuntado en tu agenda para encontrarme? —me atajó bruscamente—. Deja que tu necesidad te lleve, hijo. Que tu hambre de luz te traiga de nuevo. ¿Recuerdas lo que te dije del arte como puerta de acceso a otros mundos?

Asentí extrañado.

—Aprende a abrir esas puertas por ti mismo y no tendrás problemas para encontrarme. Con eso basta.

Pasé por alto aquella instrucción. Tenía otra cosa importante que preguntarle.

—¿Y podría venir con alguien?

Pero Fovel ya no respondió. Sin una palabra de despedida siquiera, se dio media vuelta y se fue, mezclándose entre los visitantes del museo.

8

El camino de la Gloria

La primera noticia de Marina después de las vacaciones de Navidad llegó acompañada por un mal augurio. No me había telefoneado a las ocho y media como era nuestra costumbre, sino que se había pasado por la recepción del colegio mayor muy temprano, dejándome un escueto mensaje en el casillero. «No sé si ya estás en Madrid, Javier. Si has llegado, ven a verme a clase, por favor. Es urgente.»

Toñi, la secretaria, recogió la nota a eso de las siete y observó no sin cierta curiosidad que la chica que la había escrito parecía muy nerviosa. Aunque reconocí la caligrafía menuda y redondeada de Marina, le pedí, como si pudiera ser un error o una broma, que me la describiera.

—Una niña rubia, delgadita, de ojos claros y más o menos de tu altura.

Era ella.

—Javier... ¿Va todo bien? —preguntó preocupada.

Toñi era como una segunda madre para los colegiales. Lo sabía todo de nosotros. Cuándo entrábamos. Cuándo salíamos. Quién nos llamaba. Si estábamos enamorados o si las últimas notas habían sido un desastre. Por eso la miré sin saber qué responder. Sólo recuerdo que, nervioso, regresé corriendo a la habitación, tomé el abrigo y mi carpeta de apuntes, y sin desayunar siquiera me lancé por la arbolada avenida de Gregorio del Amo abajo, corriendo hacia la Facultad de Farmacia. «Ven a verme a clase, por favor.»

Marina debía de haber pasado las dos últimas horas en la biblioteca, aguardando el inicio del turno de mañana. Pero ¿por qué?

«Es urgente.»

Llegué al edificio principal de Farmacia —un imponente bloque de ladrillo rojo y hormigón, sin mucha personalidad— cinco minutos antes de que empezaran las primeras clases. Encontré a Marina sentada, con gesto ausente, en la última fila de su aula. No había más que mirarla para saber que, en efecto, algo malo le había sucedido. Se había acurrucado en su pupitre sin un gramo de maquillaje, vestía un jersey de cuello vuelto de caballero que le quedaba grande y tenía el pelo recogido en una coleta torpe. Lo más llamativo, sin embargo, eran sus ojeras. Dos bolsas amoratadas asomaban por debajo de sus ojos esmeralda, oscureciéndole la mirada y delatando que había pasado la noche sin pegar ojo.

—Gracias por venir... —murmuró al verme, sin amagar siquiera un intento de sonrisa—. ¿Qué tal tus vacaciones?

No dije nada. Tampoco me dio opción.

—Por favor, salgamos de aquí —suplicó.

De un manotazo, recogió sus cosas, las volcó dentro de un gran bolso de tela y se arrebujó en su gran abrigo de lana. La acompañé fuera de la facultad con el alma en vilo. Sólo quería que nos diera un poco el fresco y me aclarara qué diablos era todo aquello. Pensé que, si lo que teníamos que hablar era tan serio como parecía, lo mejor iba a ser alejarse de allí. Y así, enredados en un silencio de plomo, comenzamos a caminar por el filo de la Avenida Complutense.

—No sé cómo decirte esto, Javier —soltó al fin, como si quisiera liberarse de una presión infinita y hubiera reunido las fuerzas para dar el primer paso—. ¡Tienes que dejar de ver a ese hombre!

Debí de mirarla con cara de pez.

—Anoche... —Trató de continuar, pero tuvo que detenerse a inspirar aire. Se agarró a mi brazo y, mientras me empujaba a caminar, reunió las fuerzas que le faltaban para proseguir—. Anoche un tipo se presentó en mi casa. En mi puerta. Mis padres están fuera, de viaje, así que no lo vieron. Y menos mal. Les evité un buen susto.

Marina dijo aquello deprisa. De un tirón.

—Un momento. ¿Le..., le abriste la puerta a un desconocido?

—Bueno... —resopló—. Sí. Es que... Se presentó de manera muy correcta a eso de las nueve menos cuarto, y dijo que tenía algo importante que decirme. Mencionó tu nombre y, como no era tarde y mi hermana estaba en casa, lo dejé pasar. Sólo se tomó un café. Pero fue lo que dijo, no lo que hizo, lo que me asustó.

—¿Y qué dijo? —pregunté sin saber aún cómo reaccionar.

—Ése es el caso, Javier. Vino para hablarme de ti. Ese hombre te conoce, sabe qué estudias y sobre todo conoce lo de tus visitas al Museo del Prado. Me contó que había estado vigilándonos. Que estaba al corriente de los papeles que saqué para ti de la Hemeroteca Nacional, de tu encuentro con Lucía Bosé, y hasta me contó cosas del día que estuvimos juntos en El Escorial preguntando por el libro ese de las profecías...

—El *Apocalypsis Nova* —la acoté como un autómata.

—Sí. Ése... Mira —tomó carrerilla otra vez—: no sé en qué andas metido, pero vino a pedirme que te convenciera para que lo dejaras todo a un lado. Por tu bien.

—¿Dejarlo todo? Pero ¿qué he de dejar? —me quejé sobrecogido.

—Dejar de verte con el fantasma del Prado o quien

quiera que sea ese tipo. Me dijo que no era de fiar. Y, sobre todo, que no sigas de acá para allá removiendo cosas que no te incumben. Dejar, dejar, dejar. ¿No lo entiendes?

—Pero si yo...

—Javier —Marina se puso muy seria y soltándose de mi brazo me miró fijamente a los ojos—, ese hombre hablaba en serio. Te lo juro. No llegó a amenazarme, pero créeme que le faltó muy poco. Lo noté en su cara. Tenía una mirada... oscura. Daba miedo.

—Pero ¿te dijo quién era? —insistí.

—¡No! Sólo que trabajaba como experto en arte y que, sin querer, nuestras preguntas en El Escorial habían puesto en peligro una importante investigación.

—¡Ajá! —De repente, como si alguien hubiera encendido una luz en mi memoria, creí comprender qué era todo aquello—. ¡Ése debe de ser el tipo que estuvo antes que nosotros consultando el libro del beato Amadeo! ¡Por eso se ha fijado en nosotros!

El rostro de Marina se ensombreció.

—También lo he pensado yo, Javier. Pero ahora qué más da. Lo que no me gusta es que se haya tomado la molestia de investigarnos. Nos ha seguido, ¿lo entiendes? Por alguna razón, lo que haces le estorba. Y la visita de anoche ha sido un aviso. Era tan... Tan gris.

—¿Y sólo quiere eso? —dije con una sonrisa nerviosa en la boca—. ¿Que me olvide del doctor Fovel? ¿Que no haga preguntas por ahí sobre... arte?

—¡Maldita sea, Javier! ¿Te parece poco?

Los labios de Marina comenzaron a retemblar de tensión.

—No he dormido en toda la noche por culpa de ese tío, ¿no me ves? Vine a la facultad a primera hora porque al menos aquí estoy rodeada de gente y sé que no se atreverá a acercarse. Hasta le he dicho a mi hermana que se fuera de casa lo antes posible, por si se le ocurría volver.

—Pero Marina... No te asustes, ¿quieres? —intenté calmarla, apartándole un gracioso mechón de pelo rebelde que le había tapado parte de la cara—. Seguramente sólo es un tarado. Una de esas ratas de biblioteca que se obsesionan con cualquier cosa. El tipo vio tu dirección en el registro de entrada de El Escorial y te ha hecho una visita para intimidarte... No creo que...

—¡Ha estado en mi casa, Javier! ¡Lo tuve enfrente!

—Bueno... —titubeé. Marina tenía miedo—. Si quieres, podemos llamar a la policía y...

—¿Y qué vamos a decirles? ¿Eh? ¿Que un historiador no quiere que consultemos un libro que él está estudiando? ¿Que se tomó un café en mi cocina y se marchó sin hacerme nada? ¡Déjalo, anda!

Marina tragó aire, apretando los puños hasta que los nudillos le clarearon. Durante un rato, ninguno de los dos volvió a articular palabra. Sólo me faltaba enfadarla. Prolongamos nuestro paseo hasta el borde de la carretera de La Coruña sorteando los últimos charcos helados de la universidad. Y después, mecidos por el primer sol reconfortante del invierno, nos dejamos arrastrar hasta la zona de tiendas de Moncloa. Íbamos a perdernos las primeras clases del trimestre. Mal arranque. Pero a ninguno de los dos parecía importarnos demasiado eso.

La rodeé por los hombros para darle confianza y caminamos así durante un rato.

—Lo que no entiendo, Marina, es por qué te has sentido tan amenazada. Después de todo, el tipo fue correcto y se marchó, ¿no? —me atreví a abrir la boca sólo cuando nos detuvimos frente al insípido escaparate de la librería del Fondo de Cultura Económica, como si volviendo a repasar lo sucedido pudiera ayudarla a minimizar su angustia—. Al final, el «señor X» sólo te dijo que era mejor que yo no volviera a ver a otro tipo del que tampoco sé gran cosa. Y ya está.

Ella tardó un siglo en reaccionar. Paseó la mirada por aquella vitrina como si le fuera la vida en repasar los libros expuestos y, con el rictus más melancólico que le vi jamás, buscó mi reflejo en el cristal.

—Bromea si quieres, Javier, pero el caso es que ocurrió algo más —admitió con pesar.

—¿Algo más? ¿Qué?

—Ese tipo estuvo hablándome un buen rato de la muerte. Él solo. Como en un monólogo. Por alguna razón parecía haberse ofuscado con esa idea.

—Dijiste que no te había amenazado...

—¡Y no lo hizo! —me cortó en seco—. Hablaba de la muerte en abstracto. Repetía una y otra vez algo como que era cosa de gran virtud prepararse para el buen morir. ¡Ah! Y añadió que teníamos que aprender a ir ligeros de equipaje como los antiguos... Y bueno, ese tipo de cosas. Todo fue raro. Muy raro...

Noté cómo Marina volvía a estremecerse al evocar ese recuerdo, así que, dejándome llevar, la abracé tratando de devolverle la calma. Fue la primera vez que nuestros cuerpos se tocaron así, sumergiéndose en una energía que nos mantuvo unidos durante un tiempo imposible de precisar y que quise que no acabara nunca. Alargué una mano y la hundí en sus cabellos con cuidado.

—Tranquilízate, ¿quieres? Ya pasó.

—...Sólo habló y habló de la muerte, qué raro —repitió ajena a mi gesto, como si su mente fuera incapaz de abandonar aquel recuerdo.

—¿Y para qué te diría todo eso?

—¡No lo sé, Javier! —El abrazo se esfumó. Se escurrió

de mis brazos antes de que pudiera darme cuenta—. Lo único en lo que ese hombre insistió fue en que te alejaras de ese dichoso maestro del Prado. Que te está acercando a filosofías falsas, a ideas de un tiempo lleno de trampas. ¡Y me asusté! ¡Me asusté mucho!

Los ojos de Marina se humedecieron de repente.

—Todo esto es absurdo —susurré con toda la calma que fui capaz de reunir—. No tiene ningún sentido.

—¡Ah! —exclamó—. Y antes de irse me dio algo para ti...

Marina se frotó los ojos y, con el pulso todavía alterado, hurgó en su bolso hasta que extrajo de él unos folios doblados por la mitad. Los agitó frente a mí. Parecían tres o cuatro fotocopias en las que resaltaba una especie de boceto a plumilla. De reojo me pareció una momia egipcia, pero desestimé la idea.

—¿Qué es?

—Una llave.

—¿Una llave?

—Eso dijo. «Una llave para entrar en la gloria.» Insistió en que meditaras sobre ella con el corazón abierto y dejaras a un lado los credos perniciosos. Que tal vez así conseguirías alejarte del mal.

Intrigadísimo, eché un vistazo a aquellos papeles. Eran fotocopias de una vieja revista de época, *La Ilustración de Madrid*. Y mostraban —no me había equivocado tanto— el dibujo de un cadáver seco y ennegrecido acompañado de una frase que lo convertía en un documento de singular rareza:

«El emperador Carlos V, copiado del natural en 1871.»

—¿Qué..., qué piensas hacer con eso? —me miró entonces Marina, entre desconfiada y asustada, apartando la vista de aquel dibujo macabro y preocupada por mi súbito interés.

El emperador Carlos V, copiado del natural en 1871.

—Hacerle caso, naturalmente —sonreí—. Alejarse del mal siempre es una buena opción, ¿no?

—¿Y si te olvidas de todo y pasas de esta historia?

—No puedo. —La cogí por los hombros de nuevo, tirando de ella lejos del escaparate—. Y menos ahora que todo se pone tan interesante.

Por desgracia, la energía que había sentido sólo un minuto antes ya se había ido.

9

EL SECRETO DE TIZIANO

No leí aquellos papeles. Los devoré.

Tras acompañar a Marina a casa de su tía Esther y medio engañarla para que ella y su hermana se quedaran a pasar la noche allí, me faltó tiempo para sentarme a estudiarlos. Mi impaciencia era doble: por un lado, me interesaba el contenido de los documentos en sí, pero, por otro, intuía que podrían esconder alguna pista, una señal que me ayudara a comprender quién había sido el inoportuno señor X que tanto la había atemorizado. Al principio me costó concentrarme. La idea de saberme espiado no me gustaba. Sin embargo, una vez puestos los cinco sentidos en las fotocopias, mi paranoia fue amortiguándose. Me encantaba leer publicaciones antiguas. Con ellas me pasaba lo mismo que con los cuadros: al cabo de unos minutos dejaban de ser algo concreto, tangible, para convertirse en miradores por los que asomarme al pasado.

La revista quincenal de la que se habían extraído, *La Ilustración de Madrid*, resultó ser un tótum revolútum asombroso. Dirigida por el poeta romántico Gustavo Adolfo Bécquer —por cierto, amante de fantasmas, hadas y ánimas en pena—, su contenido iba de lo político a lo artístico con toda la naturalidad del mundo. Podía reproducir acá unos versos, una nota sobre la moda de París o un cuento de sabor oriental, y en la columna de al lado un alegato sobre las últimas obras públicas de la calle Hortaleza. Según averiguaría más tarde, fue una publicación de vida efímera. Duró sólo tres años. Y del ejemplar que el señor X me había puesto en las manos, fechado el 15 de enero de 1872, lo primero que me llamó la atención fue que, de dar crédito a lo que decía, alguien se había arrimado a las tumbas del Panteón de Reyes del monasterio de El Escorial, abierto el sarcófago de Carlos V y constatado que su cuerpo estaba incorrupto, momificado, con barba y todo. Nunca había oído que la tumba del gran emperador de la Historia de España hubiera sido profanada, y mucho menos que existieran documentos de época que relataran un hecho tan macabro. Pero ¿por qué el señor X quería que viese aquello? ¿Adónde pretendía llevarme? O, lo que me resultaba aún más intrigante, ¿de qué estaba intentando alejarme con esa información?

El texto que acompañaba al dibujo era, por cierto, aún más elocuente que éste. Se trataba de una carta abierta de un pintor a otro. Una especie de dedicatoria que el autor del dibujo —Martín Rico, un aventajado alumno de la Academia de Bellas Artes de San Fernando— hacía al artista más famoso del país por aquel entonces, Mariano Fortuny. La misiva no detallaba la razón profunda por la que Rico comunicaba a Fortuny la aventura que había corrido para ver el cuerpo de Carlos V, pero se deshacía en elogios hacia el maestro. Si algo llamaba la atención de aquellos nombres era que Fortuny mantuvo un vínculo muy especial con el Prado. A fin de cuentas, se casó con la hija de Federico de Madrazo, pintor como él y director de la pinacoteca. ¿Era hacia allí donde deseaba llevarme el señor X? ¿Quizá a las salas de pintura del XIX del museo? ¿Al inventario de Madrazo? ¿Y para buscar qué?

Por si acaso, releí aquel documento con cuidado.

Al señor don Mariano Fortuny.

Querido amigo: En el número 49 de *La Ilustración de Madrid*, que tengo el gusto de remitirle, verás un grabado hecho sobre un apunte mío; representa la momia del emperador Carlos V. [...] El cadáver del emperador se conserva en muy buen estado, envuelto en una sábana blanca, guarnecida con encaje de unos dos dedos de ancho; un paño de damasco rojo lo oculta todo, cubriendo la momia y la sábana. Apenas han hecho estragos en aquélla los tres siglos que han transcurrido desde que fue inhumada, y contra todo lo que habrás leído y oído puedo asegurarte que permanece íntegra, que nada, absolutamente nada le falta; antes bien, sobran algunas gotas de cera que sin duda han dejado caer sobre su pecho las manos temblorosas de los curiosos que han tenido la fortuna de contemplarla las pocas veces que se ha abierto la urna en que reposan estos venerados restos.

Me ha llamado la atención que su poblada barba, muy recortada alrededor de la boca, es de color castaño oscuro y no canosa, casi blanca, como aparece en los retratos que existen del esforzado príncipe; del pelo se ve poco a causa del casquete de tisú de oro que cubre su cabeza; solamente en ambos antebrazos y algo en la parte lateral izquierda del cuello se descubre el hueso.

Nada quiero decirte de la emoción que experimenté y de los sentimientos que agitaban mi espíritu, al fijar los ojos en aquellos inanimados restos del que, después de haber llenado al mundo con su grandeza, moría humilde y penitentemente en Yuste, porque me he propuesto no entretener tu atención mucho tiempo con esta epístola dedicatoria que va saliendo muy larga.

Pero sí debo indicarte, para recomendarme a tu indulgencia, que jamás he tropezado con más dificultades, ni trabajado con tanta incomodidad y molestia como al hacer este dibujo, porque además de la postura en que es necesario permanecer, postura que convierte al cuerpo en una C perfecta, no media más distancia entre la vista y el modelo que unos treinta centímetros; dejo a tu buen juicio calcular cuán difícil es dibujar así [...].

Pongo, pues, aquí punto, suplicándote que aceptes este recuerdo que con tanta benevolencia como placer tiene en dedicártelo tu amigo

MARTÍN RICO
Escorial, 18 de diciembre

Sentado en la pequeña biblioteca del colegio mayor, bajo la luz fría del fluorescente de mi pupitre y con el tomo 51 de la *Enciclopedia universal ilustrada europeo-americana* —la famosa *Espasa* de lomos negros y dorados— abierta por la entrada dedicada al autor de la carta, empecé a comprender el alcance de su peripecia. Este notable pintor realista, maestro del paisajismo decimonónico y con una pequeña obra expuesta en el Museo del Prado,[51] tuvo acceso de forma no aclarada al cuerpo incorrupto de Carlos V y contempló con sus propios ojos al hombre retratado tantas veces por Tiziano. Debió de ser un momento impactante. Único. Pero ¿qué más?

Había algo en aquel asunto que se paseaba una y otra vez por mi cabeza. Marina dijo que, justo después de que el señor X le entregara ese material, había empezado a murmurar cosas sin sentido sobre la muerte. Tal y como lo contaba, me pareció una puesta en escena. Una actuación. En la facultad había aprendido que una de las mejores técnicas para hacer que nuestro cerebro retenga una determinada información consiste en asociarla a hechos absurdos. Para un periodista con pretensiones de llegar a su audiencia, ésa era toda una revelación. Me explicaron que, por ejemplo, si un reportero consigue transmitir su crónica de una huelga de estibadores colgado bocabajo de una grúa, su mensaje va a quedarse más tiempo en la mente del espectador que si, digamos, la relata a pie de muelle. Cuando lo «normal» se transgrede, la memoria humana es capaz de retener hasta el menor detalle asociado a ese episodio. ¿Fue eso lo que hizo el señor X con Marina? ¿Quiso que recordara bien lo que dijo? Y en ese caso, ¿por qué? ¿Para qué?

A falta de otro camino, decidí trabajar sobre esa hipótesis.

Lo primero que hice fue aislar los conceptos básicos del monólogo del señor X, escribiéndolos sobre un folio en blanco. Enseguida los reduje a dos. El primero, esa frase, un tanto arcaica, de «cosa de gran virtud es prepararse para el buen morir». Y el segundo, la expresión «ir ligero de equipaje». Después, guiado por ellos, rastreé en las entradas de la enciclopedia correspondientes a Rico, a Fortuny e incluso a Bécquer, algo que pudiera darles un sentido o un contexto. No encontré nada. Sin embargo, en el larguísimo artículo que la *Espasa* dedica a Carlos V, tardé poco en casar aquellas dos frases. Según leí, el emperador momificado había sido el único gobernante de su tiempo que dedicó los últimos dos años y medio de su vida a preparar su alma para morir. «Cosa de gran virtud.» Carlos V abdicó de todas sus coronas y se retiró a un monasterio en la provincia de Cáceres hasta que falleció. Y, lo que era más interesante si cabe, lo hizo «ligero de equipaje», ordenando de manera expresa que lo enterrasen sin joyas, abalorios o signos externos de poder.

Tras aquel tibio rayo de luz, invertí mi energía en localizar a Santi Jiménez, un estudiante de posgrado de Geografía e Historia, vecino de planta en la residencia, que por esas fechas preparaba un doctorado sobre Carlos V. Santi era la envidia de todos los colegiales. Por antigüedad tenía la suerte de ser de los primeros en poder escoger habitación al principio de curso. Y siempre se quedaba con la misma. Una gran estancia en la esquina sur del edificio, con un pequeño recibidor y vistas a la piscina, en el tercer piso, con ducha propia, frigorífico, televisión, horno microondas y hasta su propio ordenador personal. Las malas lenguas atribuían su éxito con las chicas a semejante despliegue de medios y no, claro, a su cara de pan, sus gafas con cristales de diez dioptrías o su insólita capacidad para conseguirte casi cualquier cosa que pudieras necesitar, desde una cámara de fotos de segunda mano a un chándal oficial del Real Madrid. Todo el colegio recurría a él cuando estaba en apuros. Y es que había que reconocerle un don de gentes fuera de lo común y una enorme capacidad resolutiva. Era un *conseguidor* nato. Siempre tenía un saludo a punto y, si podía ayudarte en algo —no importaba que fueras el último novato en llamar a su puerta—, no lo dudaba ni un minuto... aunque después te cobrara por ello.

Había llegado, pues, mi momento de pedirle *ese algo*.

—¿Que si Carlos V se preparó para morir?

Santi me miró con los ojos agrandados por las lentes, sorprendido por el motivo de aquel asalto.

—¿De veras quieres que hablemos de Historia? ¿Sólo eso?

Tras llamarlo por la megafonía del edificio, Santi se había presentado en recepción desgreñado y con una cerveza a medio terminar. Me disculpé asegurándole que lo mío era una consulta profesional que le llevaría poco tiempo. No iba a pedirle ningún favor más.

—Pero ¿tú no estudias periodismo? —preguntó con cierta picardía, quitándose las gafas y frotándose los ojos.

—Sí... Pero me interesa mucho la muerte del emperador.

—Je. En eso no te culpo —sonrió.

—Entonces, ¿responderás a mis preguntas?

—¿Sobre Carlos V? ¡Pues claro, hombre! Es un personaje fascinante —añadió como si fuera a hablar de alguien de su familia—. Yo diría que fue el único gobernante de su tiempo que murió sabiendo lo que hacía.

—Entonces cuéntamelo todo, por favor.

El futuro doctor Jiménez, supongo que sorprendido por mi petición, se dejó llevar. Nos sentamos en la mesa más apartada de la cafetería —un esquinazo acristalado, a pocos metros de la entrada al colegio— y, tras pedir un par de solos dobles y unos donuts, comenzamos a charlar.

—Lo primero que llama la atención cuando se estudian los últimos momentos de Carlos V es que el emperador llegó a abdicar de todos sus títulos y coronas casi tres años antes de morir. Nadie había hecho algo parecido antes. Se suponía que un monarca o un papa debían permanecer en el trono hasta el día que Dios decidiera llevárselos, pero él rompió esa norma, como si presintiera que su fin estaba cercano.

—¿Le pasó algo?

—Puede decirse que sí. Poco antes de su renuncia, Carlos sufrió un profundo cambio de personalidad. De ser un gobernante extrovertido, que dedicaba todo su tiempo a recibir embajadores, a organizar sus campañas militares y a ocuparse de los asuntos de una familia que tenía intereses en todas las cortes de Europa, pasó a mostrar una actitud taciturna. Quizá la razón haya que buscarla en que a sus cincuenta y cuatro años su salud era muy frágil. La gota y las hemorroides lo tenían consumido de dolor y, al parecer, pronto no le preocupó otra cosa que redimir sus pecados antes de que fuera tarde.

—¿Y ya está? —rezongué—. ¿Abdicó porque tenía mala salud?

—No, no. Eso no hubiera sido bastante para el hombre al que Erasmo de Rotterdam bautizó como *el nuevo César* —me atajó divertido—. En realidad, justo antes de tomar su decisión ocurrió lo peor que podía sucederle a alguien acostumbrado a ganarlo todo. ¡Perdió!

Santi bajó la mirada a la mesa en la que acababan de servirnos la merienda y comenzó a desgranarme una pequeña historia. Era como si sólo entornando los ojos y aspirando el aroma del torrefacto mi interlocutor fuera capaz de acceder a una especie de enciclopedia mental de los Austrias. Recordé que Carlos V había traído a Europa desde América el primer café y el chocolate amargo. Tal vez fuera eso. El caso es que según Santi fue hacia 1554, de repente, cuando aquel guerrero culto, testarudo, de energía infinita y admirado por los suyos, empezó a perder todo su brillo. Según algunos historiadores, quizá le deprimió no haber puesto en marcha su plan para acaudillar una última cruzada a Tierra Santa. Una parecida a la que antes habían soñado Colón e Inocencio VIII.[52] Aunque otros, en cambio, lo achacaron al empeoramiento de su calidad de vida. O quizá a sus fracasos para detener la expansión de las ideas de Lutero, al que, por cierto, se arrepentía a diario de no haber matado cuando tuvo ocasión. Sea como fuere, cuando tenía alrededor de los cincuenta años comenzó a dar la impresión de que ya nada de aquello le preocupaba. Sólo le obsesionaba cómo iba a ser su tránsito al más allá.

Poco antes, Carlos V había dado otras señales de ese abandono de lo material.

En el invierno de 1548, por ejemplo, después de haber hecho valer su supremacía sobre Soleimán el Magnífico e incluso sobre el papa Clemente VII, al que veinte años atrás había castigado con el célebre *Saco de Roma*, dejó ver en sus escritos cuánto temía que sus actos de guerra hubieran emponzoñado su alma. La sola idea de perder la vida eterna por culpa de sus pecados lo aterraba. Y movido por sus profundas creencias católicas, el 18 de enero de aquel año redactó un testamento en el que consignó de su puño y letra todo lo aprendido, para beneficio personal del futuro Felipe II, «porque de los trabajos pasados se me han recrescido algunas dolencias, y postreramente me he hallado en el peligro de la vida», le escribió. «Y dudando lo que podría acaecer de mí, según la voluntad de Dios, me ha parescido avisaros por ésta de lo que para en tal caso se me ofrece...»[53]

—Hoy, visto desde la perspectiva que dan los siglos —reflexionó Santi tras impresionarme recitando esas citas de memoria—, resulta fácil deducir que lo tenía todo planeado para morir.

—¿Y no fue una irresponsabilidad dejar el trono a su hijo cuando él aún estaba en plenas facultades mentales?

—No. En absoluto. En el invierno de 1553-1554, el César católico, el hombre que había destinado la mayor parte de las riquezas traídas a Europa por los conquistadores de México y Perú a pagar las guerras contra los protestantes, perdió la esperanza de devolver a Alemania al catolicismo. Cuando aún le dolía la humillante derrota que una coalición francoalemana le había infligido en Innsbruck, su fiel duque de Alba perdió la mitad del ejército imperial en un asedio fallido a la ciudad de Metz.

—¿Y por eso se echó a morir? —objeté sin querer entrar en profundidades bélicas.

Santi se frotó la nariz, cada vez más escamado por mi interés.

—Creo que vas a tener que acompañarme a la habitación para que te enseñe algo que te hará comprenderlo todo.

—¿Qué es?

—Un documento único, de una belleza extraña, casi

sobrenatural, como a ti te gusta, y que muestra el sentir de Carlos V en esa etapa. El emperador ordenó crearlo con la misma atención que había dedicado a su testamento, y puso en él un empeño que me recuerda al que los antiguos faraones consagraron al diseño de sus tumbas. Ya sabes, las que decoraron con esa especie de mapas del más allá que fueron los llamados *Textos de las Pirámides*.

—Pero ¿qué es? —pregunté intrigado.

—Un cuadro.

—Por todos los diablos... ¡Vamos!

Un segundo después de ver aquella lámina sentí perplejidad. Al poco, ésta se transformó en euforia. ¡Yo conocía esa obra! Sabía que el original colgaba a pocos pasos de la espectacular estatua de *Carlos V y la furia* de Leoni. De hecho, prácticamente se trata de la primera pintura que te recibe cuando entras en el Museo del Prado por la puerta de Goya. La había visto decenas de veces, sí, pero nunca me había detenido a contemplarla. Y ahora me preguntaba cómo había podido ser tan torpe.

—Es un Tiziano asombroso —sonrió Santi—. Aquí, aunque no te lo parezca, hay muy poco de su imaginación. El artista lo pintó con arreglo a las instrucciones precisas que recibió del emperador. Se sabe, por ejemplo, que el césar se interesó tanto por los avances del pintor que incluso enviaba de tanto en tanto a su embajador en Roma para saber si seguía vivo y trabajando en su encargo. Y aunque no fue hasta finales de 1554 cuando pudo ver por fin el resultado, no hay duda de que es el fruto de un proyecto meditado. Es una lástima que raras veces se hable de él en los libros de Historia.

Escruté aquella imagen con detenimiento. La escena

La Gloria. Tiziano Vecellio (1551-1554). Museo del Prado, Madrid.

era sobrecogedora: el cielo se abre sobre un campo castellano casi vacío, dejando ver a la Santísima Trinidad recibiendo a profetas, patriarcas y rostros conocidos de la España del siglo XVI. Como Santi parecía saberlo todo de aquella pintura, no abrí la boca ni para expresar asombro.

—Fue un cuadro complejo, concebido en varias etapas —prosiguió—. Lo que más llama la atención es que ni los suyos adivinaran los planes que el emperador tenía para él hasta que lo tuvo junto a su lecho de muerte. ¿Sabías que Carlos V llegó a organizar en persona sus exequias e incluso dio la orden de que se celebrasen como si ya hubiera muerto para poderlas presidir?

—¿En serio? —se me escapó.

Santi asintió. Me mostró entonces un texto de un testigo presencial, el jesuita Juan de Mariana, en el que explicaba cómo el emperador, «mezclado con los monjes que cantaban el oficio de difuntos, rogó por su eterno descanso como si ya hubiese salido de esta vida, acompañándolo los circunstantes más con sus lágrimas que con sus voces».[54] Llegó a decirme incluso que el césar rezó con tal frenesí en esa especie de psicodrama funerario que terminó tendiéndose en el suelo haciéndose pasar por muerto.

—Y este cuadro formó parte de esa representación —precisó—. ¿Te das cuenta ya de lo que representa? Es el paraíso celestial abriéndose al completo para recibir el alma del difunto Carlos V. Es la visión de un milagro.

Abrí los ojos como platos.

—No busques otra interpretación, Javier, que te conozco. Se sabe que el emperador dio instrucciones precisas a su pintor favorito, Tiziano Vecellio, para que lo retratase envuelto en un sudario blanco, inmaculado, y con el rostro vuelto hacia la Santísima Trinidad por la que tanto había combatido frente a los protestantes. Carlos fue muy claro al respecto: nada de coronas ni de lujos. Quería verse solo ante la muerte.

«Ligero de equipaje», recordé entonces el sobrio boceto de Martín Rico.

—Pero por supuesto ya sabrás que ésta no fue la primera vez que Tiziano pintó al emperador —siguió Santi, ajeno a mis cábalas—. *Carlos V con un perro, Carlos V en la batalla de Mühlberg...* El pintor era ya un anciano cuando recibió este encargo. Era más viejo aún que el monarca, pero se afanó como nunca en retratar al mecenas que lo había hecho rico y admirado en toda Europa. El mismo que lo nombró caballero imperial cuando descubrió su habilidad con los pinceles y su docta conversación. Mira, fíjate.

Santi trazó unos círculos con el dedo sobre el lado derecho de la imagen, señalando a un grupo determinado de personajes.

—Aquí está Carlos V. ¿Lo ves? Su mentón alargado y su rostro lo delatan. Tiziano pintó al emperador con la mirada clavada en Jesucristo. Tras él puede verse a su hijo y heredero al trono, el futuro Felipe II, a su difunta esposa Isabel de Portugal, a su hermana María de Hungría y a quien algunos identifican con su madre, Juana de Castilla, *la Loca*. Sólo el césar y su grupo familiar aparecen cubiertos por sábanas blancas. Y bajo su regia presencia se extiende un grupo de personajes que van desde san Jerónimo sujetando su Biblia latina hasta el rey David, pasando por Noé con su arca o Moisés con sus tablas. Todos son del Antiguo Testamento. ¿Imaginas cuál es el nombre del cuadro?

Me encogí de hombros sin saber qué decir.

—¡Vamos, hombre! Di uno.

—*¿El fin del mundo?*

—Bueeeno... —se mofó—. Esto de los títulos de los cuadros es una especie de locura que les da a los museos. Los artistas no solían bautizar sus obras y, si lo hacían, los dueños se sentían muy libres de cambiarles el nombre a capricho. A esta imagen se la ha llamado indistintamente *El Juicio Final, La Gloria, El Paraíso...*

—Espera, espera. ¿Has dicho *La Gloria*?

Un breve escalofrío me hizo recordar algo: «Es una llave para entrar en la gloria.» Eso fue lo que le había dicho el señor X a Marina.

—Sí. Resulta bastante obvio. La gloria celestial, ¿no?

—Ya, claro... ¿Y no sabrás si Carlos V dijo algo de que el cuadro fuera una puerta, un umbral o algo así?

Santi me miró con la cara que me regalaban mis amigos cada vez que les hablaba de «mis cosas».

—Hombre... —Medio burlón, rebuscó entre los papeles de una carpeta de apuntes que tenía a mano—. Igual tengo algo para ti. Hay un documento..., déjame ver... Éste es. Verás. En este texto sobre la muerte del emperador, el jerónimo fray José de Sigüenza menciona el cuadro de Tiziano. Dice que cuando el césar decidió exiliarse en el monasterio de Yuste para dejarse morir, una de sus primeras instrucciones fue que se trasladara *La Gloria* de Tiziano hasta allá. Sigüenza fue explícito al referirse a la obsesión del emperador por esta pintura. Te leo. Poco antes de morir,

mandó llamar al guardajoyas, y venido le dixo que le traxese el retrato de la emperatriz, su mujer; estuvo un rato mirándole. Mandó coger el lienzo del Juyzio Final. Aquí fue mayor el espacio, la meditación más larga, tanto que estuvo el médico Mathisio por decirle que mirasse no le hiciese mal suspender tanto tiempo las potencias del alma que gobiernan las operaciones del cuerpo, y entonces volviéndose al médico le dixo con algún estremecimiento del cuerpo: «Malo me siento»; era esto el último de agosto, a las quatro de la tarde.[55]

—Pero ahí no dice nada de puertas...

—Pero ¡hombre! ¿Para qué crees que Carlos V pasaba tanto tiempo viéndose a sí mismo en el otro lado? Por lo que sugiere el padre Sigüenza, el emperador entraba en trance contemplándose en el Tiziano. Yo no tengo una mentalidad sospechosa de esoterismos, pero resulta evidente que buscaba inspiración para el largo viaje que estaba a punto de emprender, y veía a esa pintura como su particular puerta al más allá. En su situación, me parece que hasta el más escéptico haría un esfuerzo por creer.

10

CARLOS V Y LA LANZA DE CRISTO

¿Creer?

Quizá el bueno de Santi estaba en lo cierto. Quizá una obra de arte como *La Gloria* no podía comprenderse del todo desde la razón. Tal vez precisaba de la confianza de la fe para desvelar por completo su mensaje.

¿Y si me arriesgaba? ¿Y si decidía creer?

Fue precisamente en aquellos primeros días de 1991 cuando llegué a la conclusión de que en la vida hay que dejarse llevar por la providencia. Y también cuando decidí interiorizar esa idea hasta sus últimas consecuencias. Quise creer que la lección magistral que me había dado Santi Jiménez —tan oportuna, tan en su justo momento— no había sido una mera casualidad, sino que era el último eslabón de un elaborado plan que había comenzado el día que me tropecé con el maestro del Prado. Un plan que, por absurdo que pudiera parecer, estaba empujándome a la trastienda de algunos cuadros del museo. ¿Y si me dejaba, simplemente, llevar por él? ¿Había algo malo en seguir las señales que me habían brindado tantos y tan inesperados interlocutores en Madrid, El Escorial o Turégano? Y, en caso de que aquello llevara a alguna parte, ¿hacia dónde me conduciría?

Por esa razón, no tardé ni doce horas en tener *La Gloria* ante mis propios ojos.

Lo cierto es que todo me había empujado hacia ella. Desde el misterioso señor X y su oportuno recorte de prensa sobre Carlos V, hasta Marina como mediadora, o el propio Santi. Por otra parte, en mi mente no dejaban de revolotear las circunstancias en las que el hombre más poderoso del mundo había entregado su alma a Dios. Al terminar nuestra conversación, Santi me había prestado un par de voluminosas biografías para que me hiciese una idea de cómo fue el tránsito del emperador. Supe así que fue alrededor de las dos de la madrugada del 21 de septiembre de 1558, día de San Mateo, cuando en una pequeña casa de piedra adosada a un convento, a unos dos kilómetros de la remota aldea de Cuacos, en la comarca cacereña de La Vera, el césar dejó de respirar. Aquel varón enjuto y nervioso tuvo tiempo suficiente para dejar en orden sus asuntos de Estado, desentendiéndose sin embargo de sus últimas posesiones. El cuadro por el que tanto había suspirado, su biblioteca, su colección de relojes y astrolabios y hasta la silla hecha especialmente para sostener la pierna gotosa se quedaron olvidados en Yuste. Y *La Gloria* durmió allí hasta que su hijo Felipe II mandó llevarla a El Escorial junto a los restos incorruptos de su padre. Así pues, por caprichos de la Historia, aquella especie de *puerta al más allá* y la momia del emperador entraron a la vez en el lugar de eterno descanso de los reyes de España.

Me costaba poco imaginar al emperador agonizante, recostado sobre una torre de almohadones, consumido por el dolor de sus extremidades, sin apartar la vista de su propia efigie mirando a la Santísima Trinidad. Rodeado de padres jerónimos, el hombre más poderoso de la Tierra recibió la extremaunción entre lágrimas, pidiendo perdón a los presentes y misericordia a Dios, pero recordando al tiempo los textos de san Agustín en los que se narraba una visión celeste de los bienaventurados tan similar a la del enorme lienzo de Tiziano.

Y con esa imagen agridulce, entre el dolor y la esperanza, llegué al Prado.

Saqué mi entrada gratuita lo más rápido que pude y subí corriendo a la galería de la primera planta. Aquel día *La Gloria* iba a adquirir un valor distinto, sublime. Ante sus casi tres metros y medio de alto por dos cuarenta de ancho, comprendí que Carlos no pudo haberla albergado en la casita donde murió porque sencillamente no hubiera cabido. Lo más sensato era suponer que rezó ante ella en el altar mayor de la iglesia del monasterio de Yuste, justo encima de donde acabaría siendo inhumado junto a su esposa. Aunque, después de un buen rato de contemplación del cuadro, creí entender algo más. Esa imagen que había sido consuelo, reafirmación de fe y mapa de ultratumba encarnaba también la esperanza de que el camino del emperador no se truncaría con la muerte. Que de algún modo, con la mediación de la Virgen y de san Juan —de espaldas, a la izquierda del lienzo—, la venia de la Trinidad y la continuidad de su estirpe, iba a seguir ejerciendo su influencia sobre el reino.

—¡Tiziano y Carlos de Habsburgo! ¡Menuda complicidad la de esos titanes!

Aquellas exclamaciones me sacaron del ensimismamiento. No eran las frases perdidas de algún turista. Las había gritado a mi espalda alguien a quien reconocí en el acto.

—¡Doctor Fovel! Yo... No esperaba encontrarlo hoy.

El último hombre al que deseaba ver después de las advertencias del señor X me había encontrado en una sección del museo muy diferente a la de nuestras últimas citas. Di un paso atrás.

—¿Ah, no? —El maestro alzó irónico una de las cejas mientras se desabrochaba el abrigo—. Yo siempre estoy aquí, ¿recuerdas?

—Sí, claro.

—Además, te has parado delante de uno de mis cuadros favoritos. Era inevitable que me vieras.

—¿Lo dice en serio?

—De hecho, mirándote ahí plantado, delante de una obra que, por desgracia, suele pasar inadvertida a casi todos los visitantes, estaba pensando en contarte algo de la relación que mantuvieron Tiziano y Carlos V... Seguro que te interesará.

—Creo que hoy no voy a tener tiempo, doctor.

Mientras me excusaba, busqué de reojo a alguien que pudiera estar atento a nuestra conversación. La escueta sala 24 del museo estaba casi vacía. Era un lugar de paso en el que no se detenía casi nadie. Y esa tarde no parecía una excepción. Aun así, el temor a que el misterioso señor X pudiera estar cerca y nos viese juntos me había puesto en guardia. Fovel se dio cuenta.

—Vamos, hijo. ¿Qué te ocurre?

—No es nada...

El maestro volvió a arquear el gesto.

—Nada. En serio —insistí.

—¿Es que esperas a alguien?

Negué con la cabeza. Él sonrió ufano.

—Entonces te robaré sólo unos minutos para hablarte de lo que hay detrás del primer cuadro del arcanon del Prado.

—¿El *arcanon* del Prado?

—¡Oh! —exclamó condescendiente—. ¿Lo ves? Eso es lo que me gusta de ti, hijo: que tu curiosidad siempre es más fuerte que tu voluntad. ¿Me concedes esos minutos?

—Claro —suspiré—. Pero ¿qué es eso del arcanon?

—Es una lástima que tan poca gente lo conozca. En realidad se trata de una peculiar clasificación de las obras que alberga este museo. La idea es más bien reciente, quizá de principios del siglo XIX, cuando aún circulaban por la corte toda clase de magos, astrólogos y doctores en filosofía oculta. Un grupo de ellos se dedicó durante un tiempo a estudiar en secreto la historia de estas pinturas, determinando cuáles sirvieron a propósitos sobrenaturales y cuáles no. Lo llamaron el *Canon de los Arcanos*; o, para abreviar, el arcanon...

«Muy ocurrente», pensé.

—¿Y dice usted, doctor, que *La Gloria* es el cuadro número uno de ese arcanon?

—Sí. —Noté que Fovel torcía el gesto—. Pero también te diré algo: quizá deberíamos revisar esa lista. A fin de cuentas, esta obra no fue ni mucho menos la primera con connotaciones ocultas que le encargó Carlos V a Tiziano. ¿Quieres ver la que de verdad lo empezó todo? Esta aquí cerca.

—Muy bien —asentí dubitativo—. Pero que sea rápido...

Los dos enfilamos la galería que se abría ante nosotros, dejando atrás una obra maestra tras otra. Los *Adán y Eva* clónicos de Rubens y Tiziano, *El lavatorio* de Tintoretto, la magnética *Disputa con los doctores del templo* del Veronés... Hasta que, finalmente, el maestro decidió detenerse en la embocadura de la sala 12. La de los solemnes retratos reales de Velázquez. Pero no entramos en ella. Giramos sobre nuestros talones frente al sanctasanctórum del museo para encararnos a...

—... *Carlos V en la batalla de Mühlberg* —anunció Fovel solemne.

Me sentí decepcionado, la verdad. Había visto ese cuadro mil veces. Considerada como la pintura que impulsaría la moda de los retratos ecuestres de reyes y reinas, lo que cualquier espectador advierte en ella es todo lo contrario de lo esotérico. No hay misterio a la vista en un lienzo casi cuadrado de proporciones colosales —3,35 × 2,83 metros—, que muestra a un decidido Carlos V vestido con armadura,[56] a lomos de un caballo español de pelo castaño que se exhibe en todo su poder. Fue *tan sólo* una obra de propaganda para conmemorar una fecha fundamental para el orgullo del imperio: el 24 de abril de 1547. El día en el que las tropas del césar aplastaron en Mülhberg, no muy lejos de Leipzig, a los ejércitos protestantes. Todo, pues, en la gestualidad de aquel retrato denotaba fuerza, dominio y severidad. Atributos externos. Exotéricos. Era justo la clase de pintura que no me interesaba lo más mínimo.

—¿Un secreto en este cuadro? Por todos los diablos, doctor. Si es uno de los retratos más obvios de este museo. No hay nada oculto en él —protesté.

El rostro de Fovel se contrajo dibujando un gesto malicioso.

—¿Estás seguro? Te convenceré en un minuto.

—Un minuto —recalqué, echando otro infructuoso vistazo a nuestro alrededor. Estábamos en una zona muy concurrida y allí era muy difícil detectar si alguien nos vigilaba.

—Carlos V fue, como han sido y serán todos los hombres de poder de la Historia, un hombre supersticioso —sentenció ajeno a mis temores—. Poco importa que fuera un católico acérrimo. ¿Sabías que el emperador tuvo constantes devaneos con «ciencias prohibidas» como la alquimia o la astrología? ¿Y que incluso protegió a ocultistas tan notables en su época como Agripa?* Como todos los pode-

---

* El maestro se refiere a Enrique Cornelio Agripa de Nettesheim (1486-1535), un cabalista, nigromante e intelectual que estuvo al servicio de Maximiliano I y de Carlos V en sus años de juventud, y que más tarde escribiría un influyente tratado en el que mostraba su certeza de que todo en el universo está conectado por fuerzas sutiles que atraen o repelen la fortuna y el poder. Lo tituló *De occulta philosophia*.

Carlos V en la batalla de Mühlberg. Tiziano Vecellio (1548). Museo del Prado, Madrid.

rosos, hijo, fue un hombre que necesitó apoyarse en lo simbólico para sentirse menos solo allá arriba, en su posición de dominio. Y de lo simbólico a lo heterodoxo hay apenas un paso.

—¿Se refiere usted a que usó... talismanes?

—¡Exacto!

—No es algo que me sorprenda, doctor. Pero yo, la verdad, aquí no veo ninguno.

—Tienes que abrir más los ojos. Uno es muy evidente: le cuelga del cuello de un cordón rojo. Es el vellocino de oro, el símbolo de la Orden del Toisón que llevarán todos los reyes de su dinastía casi como único emblema de poder. Evoca la piel de carnero que persiguieron Jasón y sus argonautas, y que terminó en manos de Hércules, el mítico fundador de España. El otro, de sentido más oculto pero a la vez protagonista en el cuadro, es de una fuerza tremenda: la lanza.

—¿La... lanza?

—La única arma que sostiene el emperador en las manos tiene nombre propio. Evoca la reliquia más poderosa que custodiaba su dinastía real: la *Heilige Lanze* o lanza de Longinos. Lo lógico hubiera sido poner en sus manos un cetro, una espada tal vez, pero Tiziano optó por una lanza. *La lanza.*

Sacudí la cabeza incrédulo. Conocía lo suficiente la historia de Longinos como para que aquella afirmación me descolocase. Napoleón codició esa arma. Hitler se obsesionó por ella y la retuvo en su poder al inicio de la segunda guerra mundial. Que yo supiera, desde los tiempos de Carlomagno era tenida por un insustituible talismán de poder capaz de dar el dominio sobre el destino del mundo a quien la poseyera. Sólo había un pero: la lanza que yo conocía se conserva en una vitrina blindada del Palacio Hofburg de

Viena; es una hoja de metal partida, de doble filo, de casi medio metro, unida con cuerdas alrededor de un clavo de hierro, y no se parece en nada a la que blande Carlos V en el cuadro que tenía enfrente.

Fovel se percató de mi desconfianza y, como si me hubiera leído el pensamiento, me murmuró al oído:

—Resulta evidente que Tiziano pintó la lanza de Longinos sin haberla visto nunca, hijo. Pero eso es perdonable. Esa reliquia es sagrada y en las fechas en las que se hizo este retrato se mantenía a buen recaudo en Núremberg. Puedo asegurarte que esa lanza del retrato evoca la mítica arma de Longinos.

Me quedé mudo. Sin saber qué decir.

—Piensa en el símbolo, hijo —prosiguió—. Carlos V sostiene en las manos el arma que atravesó el costado de Cristo. Se trata de uno de esos objetos sagrados que han ambicionado todos los reyes cristianos de Europa. Por otra parte, verla en esas manos no es tan extraño. Cuando el césar accedió al trono del Sacro Imperio romano germánico heredó también la reliquia. Era la más preciada posesión de su dinastía. ¿No conoces su historia?

Asentí sin mucho convencimiento.

Sabía apenas lo que afirma la tradición. Que la lanza debía su nombre al soldado que dio la estocada a Jesús haciendo que manara sangre y agua de sus pulmones, tal y como menciona Juan en su Evangelio.[57] La historia nos dice que Longinos acudió el viernes santo al Gólgota para acelerar la muerte de los tres condenados. Los dos ladrones crucificados junto a Jesús, Gestas y Dimas, agonizaban todavía cuando la patrulla de Longinos les rompió las piernas buscando precipitar su asfixia. Sin embargo, al acercarse a Jesús, el centurión se adelantó a sus hombres haciendo algo insólito: clavó la punta de su lanza en el costado del último reo para comprobar si aún estaba vivo. El ajusticiado no se inmutó. Tenía ya la cabeza caída y su cuerpo parecía inerte. Por eso no le partieron las tibias, cumpliéndose así la vieja profecía de Isaías que aseguraba que al Mesías no se le quebrantaría ni un solo hueso del cuerpo.

A partir de ahí, el relato se llena de elementos mágicos. Algunos cronistas defendieron que, al introducir esa arma en carne sagrada, Longinos se curó de un problema ocular que padecía y se convirtió. Otros afirman que lo que el romano portaba aquel día no era un *pilum** al uso, sino la lanza votiva de Herodes Antipas, símbolo de poder que le fue prestado para abrirse paso entre los judíos que rodeaban el lugar del ajusticiamiento, y que había sido forjada por otro profeta, Fineas, quien la cargó de atributos sobrenaturales. Usada también por Josué en el episodio de la demolición de las murallas de Jericó, e incluso por los reyes Saúl y David, al tocar el cuerpo de Cristo absorbió de Él todavía más fuerza mística, haciéndose invencible.

Sea como fuere, Longinos se la habría llevado a su pueblo natal, que algunos sitúan en Zobingen, Alemania, y de ahí —en circunstancias ignoradas por la tradición, pero aún más por los historiadores— terminaría en manos de hombres como Carlomagno o Federico Barbarroja.[58] Y gracias a su poder oculto, el primero logró culminar con éxito casi medio centenar de batallas. La fuerza de la lanza estimuló las dotes de clarividencia del rey, e incluso le ayudó a encontrar la tumba del apóstol Santiago en España. Así pues, con semejante historial, no resulta extraño que esa pieza lleve siglos custodiada junto a los objetos más sagrados del Imperio franco: la corona de Carlomagno —origi-

---

* El *pilum* era una lanza parecida a las jabalinas, típica de las legiones romanas.

nalmente de hierro, con un clavo de la crucifixión de Cristo engastado en ella—, su espada y una bola de oro del siglo XII. Objetos que, por cierto, desempeñarían un papel esencial en la ceremonia de entronización de Carlos V en Aquisgrán, en 1520.

—Pero este cuadro lo pintó Tiziano en 1548... —objeté tras aquellas explicaciones.

—Cierto. Y por eso el artista nunca vio la lanza. Es de suponer que, tras las ceremonias, ésta volvió a guardarse en Núremberg. Pero, como te he dicho, no me cabe ninguna duda de que Tiziano recibió indicaciones expresas de Carlos V para que lo pintara con ella. Y bien agarrada, por cierto.

—¿Bien agarrada? ¿Qué insinúa?

—La leyenda de la lanza sagrada refiere que, al regreso de una de sus campañas por Sajonia, Carlomagno fue derribado del caballo. Un signo celeste, un cometa, lo espantó, y el precioso talismán cayó al suelo al mismo tiempo que la palabra «Princeps» se desvanecía de la inscripción «Karolus Princeps» en una de las vigas de la catedral de Aquisgrán. Fue un signo nefasto inequívoco. Carlomagno murió poco después. Y otro tanto le ocurriría más tarde a Barbarroja, que también habría dejado caer la lanza al cruzar un río en Turquía. No creo, pues, que el heredero de ambos quisiera representarse de otro modo que sujetándola con toda firmeza. Justo como ves aquí.

—Entonces, ¿el cuadro fue idea suya? ¿Del emperador en persona?

—Hummm —se relamió el maestro—. Esa pregunta es muy interesante, hijo. En aquel invierno de 1548, Tiziano fue llamado a Augsburgo para retratar a Carlos V. El pintor tenía ya sesenta años y muchos temían por su salud, pero lo cierto es que el estado del emperador era mucho peor que el suyo. Había derrotado a los germanos protestantes en

Mühlberg, sí, pero nadie sabía cuánto iba a durar vivo. En ese tiempo sabemos que el césar intentó contratar varias veces los servicios de John Dee, ese mago inglés de gran prestigio de quien ya te hablé, para que fuera su astrólogo personal. ¡Necesitaba saber cuánto le daban de vida los astros! Dee era entonces un reputado experto en talismanes. Incluso seis años más tarde llegaría a levantar el horóscopo de Felipe II en Londres. Y aunque en la época del cuadro revoloteaba de corte en corte buscando fortuna, se cree que nunca llegó a reunirse con Carlos. Pero quién sabe. Tal vez él, o alguno de sus admiradores, como Juan de Herrera (el hombre que dirigiría años después las obras de El Escorial para su hijo), le recordaron la conveniencia de retratarse con un objeto tan poderoso y así ganarse una larga vida...

—Me asombra usted, doctor. Otra vez vuelve a relacionarlo todo con todo.

—En realidad no lo relaciono yo, hijo. Es la forma de mirar la Historia la que establece esos vínculos.

Me quedé un instante masticando aquellas palabras. Casi había olvidado que estaba allí por culpa del señor X, y que éste me había advertido de lo funesto que resultaba escuchar las enseñanzas del hombre que tenía a mi lado. Pero ¿por qué? Hasta aquel momento, todo lo que había aprendido de Fovel era fascinante. Estaba inculcándome una nueva forma de contemplar nuestro pasado, teniendo más en cuenta las creencias profundas de sus protagonistas que los documentos o batallas, siempre sujetos a manipulación y retoque. ¿Qué podía haber de malo en atender una lección así? ¿Por qué tocar esa fibra histórica parecía haber irritado al señor X? Arrinconé lo mejor que supe aquel nubarrón y, llevado por el entusiasmo del que quiere saber más, formulé a Fovel una nueva duda. Había decidido no volver a mirar más el reloj en lo que me quedara de visita al museo.

—Dígame, doctor: ¿conoce algún otro cuadro que retrate esta clase de reliquias de poder?

—Oh, ¡desde luego! Hay uno que te encantará. Se pintó después de morir el césar, ya en tiempos de Felipe II; y créeme, supone todo un desafío intelectual. Otro más. ¿Quieres verlo?

—Por supuesto —sonreí.

11

El Grial del Prado

El maestro y yo desanduvimos entonces nuestro camino, pasando otra vez por delante de *La Gloria*, y descendimos por las escaleras de la rotonda hasta llegar al distribuidor de la planta baja. Muy cerca de allí, en una pequeña sala abovedada pintada en tonos crema, se encontraba, me dijo, otra de las obras esenciales de ese peculiar arcanon: *La última cena* de Juan de Juanes.

—¡Bienvenido a la sala del Grial! —Sus palabras retumbaron en un recinto que en ese momento se encontraba vacío.

Fovel me situó entonces frente a la obra de Juanes. Al verla me sorprendió. Era una composición luminosa, de colores vivos y ejecución preciosista, pero que comparada con el colosal *caballero andante* de Mühlberg me parecía de un tamaño casi ridículo.

—Fíjate bien, hijo. Esta tabla se pintó para el retablo de la iglesia de San Esteban de Valencia, a la que pertenecen también, por cierto, la mayoría de obras de esta sala. En realidad era la tapa del sagrario, el lugar donde se guardaban después de la misa el pan y el vino consagrados. De Juanes la elaboró durante el reinado de Felipe II, y muestra a Jesús rodeado por los Doce mientras instaura el sacramento de la eucaristía. Como verás, su disposición recuerda a la colosal *Última cena* que Leonardo había pintado seis décadas antes en Milán, y que De Juanes contempló en una copia que se conservaba en la catedral de Valencia, aunque existen algunas diferencias notables entre una y otra: aquí todos los apóstoles, a excepción de Judas Iscariote y de Jesús, tienen un halo de santidad con su nombre inscrito en él. Hay pan y vino en la mesa. Los platos están limpios. Por supuesto, la sagrada forma luce en manos del Mesías y, sobre todo, el Grial ocupa el centro de la composición.

—¿Por qué dice *sobre todo*, doctor?

—Porque este Grial que pinta Juan de Juanes es un cáliz que existe, hijo. Es una copa de ágata, de piedra engastada con oro, perlas y esmeraldas que se guarda desde la Edad Media en la catedral de Valencia y que se tiene por el verdadero Santo Grial que usó Cristo en la última cena.

—Lo que sin duda es una exageración —comenté.

—Yo no estoy tan seguro. El Grial que aparece en este cuadro probablemente sea el único de los que pretenden serlo (y hay muchos en Europa)[59] que tiene algún viso de verosimilitud.

—¿Usted también cree en el Grial?

—No es sólo una cuestión de fe. La copa de ágata de la catedral de Valencia ha sido examinada por arqueólogos solventes y no cabe duda de que se trata de un lujoso vaso de piedra elaborado en algún taller oriental, quizá egipcio o palestino, y se puede fechar hacia el siglo I antes de Cristo.[60] Entonces se consideraba que los recipientes de ese tipo eran muy valiosos, y no es inconcebible pensar que un judío acaudalado de la Jerusalén de aquel tiempo como José de Arimatea pudiera haber tenido uno en su ajuar.

—Pero de ahí a afirmar que es la copa de la última cena va un abismo —objeté—. Además, ¿qué hace en Valencia un objeto así en vez de estar en Israel?

—Pues justo para eso hay respuesta. Y es muy interesante.

La última cena. Juan de Juanes (1562). Museo del Prado, Madrid.

—Adelante. Soy todo oídos, doctor.

—Verás: antes de llegar a España, el cáliz que De Juanes pintó estuvo durante casi tres siglos en Roma. Por supuesto, para eso antes hay que admitir que, tras la muerte de Jesús, san Pedro se lo llevó consigo a la que entonces era capital del mundo, y que allí fue pasando de líder cristiano en líder cristiano como «cáliz papal». A mí, de entrada, esa idea me parece más sensata que la de esa horda de escritores medievales franceses y sajones que en el siglo XII nos hicieron creer que José de Arimatea se la había llevado a Gran Bretaña nada más morir el Mesías. ¡Qué absurdo! ¿Para qué iba a viajar el de Arimatea a un lugar tan remoto y poco importante como eran entonces las islas Británicas? ¿Y cómo es que no existe ni un solo vestigio o documento contemporáneo comprobable de ese viaje?

—Ya, ya... Pero no hay que olvidar que los orígenes del cristianismo están llenos de viajes improbables, como el de Santiago apóstol a España, por ejemplo. Son mitos.

—Pero ¡es que yo no hablo de un mito! —Su voz retumbó en la sala—. No hay duda de que existió un «cáliz papal» y que pasó de mano en mano en Roma, entre los papas de los primeros siglos de nuestra era.

—¿Y entonces cómo llegó ese valioso objeto a España?

—Te lo explicaré. Tú sabes que los cristianos fueron sometidos a duras persecuciones por parte de varios emperadores romanos, ¿verdad?

Asentí.

—Pues bien: entre los años 257 y 260, bajo el mandato de Valeriano, el Imperio inició una nueva campaña de saqueo y asesinato sistemático de cristianos. Registraron incluso las tumbas de la secta en busca de objetos de valor. Imagínate. Y aquí viene lo interesante. El guardián del cáliz papal en aquel tiempo fue el papa Sixto II. Antes de morir decapitado, confió el que seguramente era el único tesoro de la Iglesia a su administrador, Lorenzo, un joven diácono nacido en Huesca, en Hispania, y al que no se le ocurrió mejor escondite para la copa que enviarla a casa de unos familiares con un grupo de legionarios de sus montañas natales convertidos a la nueva fe.

—Pero ¿eso puede demostrarse?

—¡Puede! —Los ojos del maestro volvieron a brillar—. ¡Y mucho mejor que el cuento falaz del Grial del rey Arturo, Merlín y el de Arimatea, que comenzó a contarse casi mil años más tarde! Escucha: pocos días después de haber puesto el cáliz camino de Hispania, Lorenzo fue torturado hasta la muerte sobre una parrilla incandescente a fuego lento. Eso sucedió en el año 258. En el lugar donde fue enterrado el nuevo mártir se levantaría, ochenta años más tarde, la basílica de San Lorenzo Extramuros de Roma. Pues bien, en esa construcción del siglo IV, erigida por el papa Dámaso I, existió un fresco que mostraba a san Lorenzo entregando una copa montada sobre un soporte con dos asas a un soldado que la recibe de rodillas. Por desgracia, la imagen fue destruida durante los bombardeos aliados de Roma durante la segunda guerra mundial, pero su existencia está perfectamente documentada.

—¿Y era esa misma copa? —dije señalando al cuadro de De Juanes—. ¿Está usted seguro?

—¡Y aún hay más! —exclamó ignorando mi pregunta—. En esa misma tumba de san Lorenzo hoy descansan también los huesos de... ¡san Esteban! Y dime, ¿para qué iglesia valenciana pintó Juan de Juanes esta tabla? Puedes mirarlo en la cartela, pero yo te lo diré: para la de San Esteban. ¿Y a quién representan estas otras tablas de De Juanes que nos rodean? ¡Es la vida de san Esteban! Y tanto la *Cena* como estas tablas integraban originariamente un mismo retablo. Hombre, ya es casualidad. Yo creo que De Juanes supo exactamente qué clase de reliquia estaba pintando y de dónde procedía.

—Vale, vale. Admitamos por un momento que el pintor conocía todo eso y pintó para ese retablo escenas de san Esteban y un objeto que se trajo a España su compañero de tumba...

—Bien.

—...Lo que todavía quedaría por aclarar es cómo llegó esa copa papal a Valencia, ¿no?

—Eso también es muy fácil de explicar, hijo. Sabemos que en el año 712, justo después de la invasión musulmana de la península Ibérica, el obispo de Huesca fue escondiendo la reliquia en diferentes parajes de los Pirineos para evitar su profanación. Primero la ocultó en una cueva en Yebra, luego en el monasterio de San Pedro de Siresa, más tarde cerca de Santa María de Sasabe..., y así hasta llegar al monasterio de San Juan de la Peña, donde permaneció dos siglos y medio. En cada lugar por el que pasó se fundó una iglesia dedicada a san Pedro, seguramente en recuerdo del primer hombre que había oficiado con el cáliz papal. El caso es que a la muerte del rey aragonés Martín el Humano, en 1410, en pleno ocaso de templarios y cátaros, la copa de ágata terminó viajando a Zaragoza y, finalmente, a Valencia, donde se quedó hasta nuestros días. Y fíjate si la Iglesia consiente desde siempre su culto que incluso Juan Pablo II ha dicho misa con este cáliz.[61] No me invento nada. Hay documentos y actas que atestiguan cada paso que ha dado esta importantísima reliquia a lo largo de la Historia. No podemos decir lo mismo ni de la Sábana Santa de Turín.

—Y así llegamos hasta aquí, cuando en el siglo XVI Juan de Juanes la inmortaliza en este cuadro... —dije como completando su historia.

Salvador eucarístico. Juan de Juanes
(ca. 1545-1550). Museo del Prado (Madrid).
Expuesto.

Salvador eucarístico. Juan de Juanes
(ca. 1545-1550). Museo del Prado (Madrid).
No expuesto.

Salvador eucarístico. Juan de Juanes
(ca. 1560-1570). Museo de Bellas Artes
(Valencia).

Santo Grial (ca. siglo I a. C.).
Catedral de Valencia.

—...Dejándonos otro pequeño misterio sin resolver —acotó Fovel con otra de sus muecas traviesas—. Mucho antes de esta *Cena*, Juan de Juanes ya era conocido gracias a los espléndidos Salvadores eucarísticos que pintaba. Se trata de imágenes devocionales ricas, trazadas sobre pan de oro, en las que se muestra a Jesús con la sagrada forma en la mano derecha y un cáliz en la izquierda o frente a él, de modo muy parecido a como lo ves aquí. El primero de los que ejecutó se conserva en esta sala. Data aproximadamente de 1545 y su Grial es una copa cualquiera. El joven De Juanes debía de tener poco más de veinte años cuando lo hizo. Pero después, por alguna razón que desconocemos, repitió una y otra vez esa misma composición sustituyendo el anodino cáliz de su primer *Salvador* por el «verdadero» de ágata. Da la impresión de que el artista se obsesionó con esa imagen. Como si por un lado alguien le hubiera advertido que la copa verdadera de la última cena estaba en Valencia, relativamente cerca de su pueblo natal, Fuente la Higuera, y por otro le hubiera hecho ver las reliquias de la Santa Faz que se veneraban en Valencia y Alicante y lo hubiera animado a copiar su rostro de forma casi compulsiva.[62]

—Vaya, vaya. Así que De Juanes se convirtió en un experto en reliquias, pero sobre todo en el Grial. ¿Es eso lo que quiere decirme?

—Sí. Aunque no se hizo un experto de manera inmediata. Fue un proceso que duró años. Los dos Salvadores eucarísticos que se conservan en el Museo de Bellas Artes de Valencia, a los que llaman «el rubio» y «el moreno» por sus diferentes colores de pelo, muestran aún un Grial poco exacto. Como si De Juanes lo hubiera pintado de oídas o de memoria. Sin embargo, en las últimas versiones del cuadro, como la que se venera en la catedral de Valencia y que debió de elaborar hacia 1570-1579, el cáliz es de una precisión asombrosa.

—O sea, que lo estudió.

—¡O lo tuvo en las manos! De lo que podemos estar totalmente seguros es de que a De Juanes se le consideraba un hombre tan erudito como piadoso. Algunos creen que incluso viajó a Italia para familiarizarse con el espléndido trabajo de Leonardo y Rafael, que llegó a asimilar como pocos pintores de su tiempo. Debió de ser por aquel entonces cuando cambió su nombrc, Vicente Juan Masip, tan parecido al de su padre, también pintor y llamado Vicente Masip, por el latinizado de Juan de Juanes, con el que se ganó su prestigio.

—¿Y dejó algo escrito sobre el Grial?

—No, que sepamos. He investigado su vida con arreglo a la escasa documentación que se conserva de él, y sólo es digno de mención que Juan de Juanes, al igual que Rafael Sanzio, nunca tuvo una relación normal con la pintura.

—¿A qué se refiere?

—Te he dado ya una pista, hijo —sonrió malicioso—. Algunos llegaron a llamarlo «el segundo Rafael» y, la verdad, no creo que fuera sólo por la similitud de sus estilos. El caso es que, antes de empezar cualquiera de sus tablas, De Juanes se pasaba días en ayuno y oración preparando su alma. Temblaba cada vez que debía acometer lo que él consideraba una tarea sagrada. Y el día que empezaba a pintar iba temprano a misa y comulgaba. No es de extrañar que algunos críticos hayan dicho que sus obras, en especial alguno de esos Salvadores eucarísticos, sean de una belleza «tan divina que desmiente toda diligencia humana».[63] O que estos cuadros «no parezcan pintados con la mano, sino con el espíritu»,[64] ya que «podríamos decir que el Señor le guiaba la mano, y que el más hermoso de los hombres le había elegido para pintar sus imágenes, como Alejandro escogió a Apeles».[65]

—¿Y eso qué quiere decir exactamente?

—Que parecen obras inspiradas por el cielo. De hecho, sabemos que, mientras pintaba, a veces le ocurrían... ciertas cosas.

—¿Ciertas cosas? ¿Qué clase de cosas?

—Bueno... Fue muy comentado lo que le pasó cuando elaboró su magistral *Coronación de la Virgen*, también llamada *Inmaculada Concepción* o *Tota Pulchra*, para la iglesia de los jesuitas de Valencia. Ese cuadro no es normal, se mire por donde se mire.

—Por favor, vaya al grano —insistí.

—Es muy sencillo. Hablamos de una tabla enorme, de casi tres metros de alto, que fue pintada por encargo del padre Martín Alberro, un jesuita guipuzcoano destinado al colegio de San Pablo de Valencia y que casualmente era el confesor del artista. El padre Alberro había tenido un éxtasis en el que se le había aparecido Nuestra Señora, y le dijo a De Juanes que ella en persona (una señora calzada de Luna, vestida de Sol y coronada de estrellas, como la Virgen del Apocalipsis de san Juan, bañada en resplandores) le dio instrucciones sobre el tipo de cuadro que se le debía pintar. Un cuadro extraño. Sin perspectiva ni geometría alguna, y que debía incorporar en un lugar bien visible los principales nombres místicos de la Virgen, como *Civitas Dei, Stella Maris, Speculum sine macula* o *Porta Coeli*.

—«La Puerta del Cielo» —murmuré.

—Así es. De hecho, debes saber que esa pintura enseguida actuó como tal.

—¿Qué quiere decir?

—Se cuenta que, cuando Juan de Juanes estaba a punto de terminar su encargo, tuvo un accidente que pudo haber-

Inmaculada Concepción. Juan de Juanes (ca. 1568). Iglesia de la Compañía, Valencia.

le costado la vida. El pintor estaba encaramado en lo alto del cuadro, repasando la parte superior, cuando el andamio que lo sostenía cedió. Entonces ocurrió el milagro: la imagen de Nuestra Señora que él mismo había pintado alargó su brazo fuera del lienzo, sosteniéndolo en volandas hasta depositarlo con suavidad en el suelo.[66]

—Bonito cuento —concedí.

—Que, como todos, esconde un poso de verdad, hijo. Para Juan de Juanes, sus tablas eran como entidades vivas, criaturas que podían favorecer el acceso a los mundos espirituales. Puertas, en suma. Quizá por su trabajo fue tan apreciado e imitado, ya que hacía posible que sus poseedores traspasaran los límites de lo material.

—Eso decían también de las obras de Fra Angelico...

—Exacto. Y ambos, con un siglo de diferencia, pintaron con el sentimiento de que su arte servía para un propósito trascendente. Se da además la circunstancia de que sus obras eran consecuencia de sus visiones. Por eso no es irracional pensar que con ellas buscaban provocar esa misma clase de experiencias en quienes las admiraban. Curioso, ¿verdad?

—Es más que eso. ¡Revelador!

—Sí —rió por primera vez—. Nunca mejor dicho. Muy revelador.

12
—

EL SEÑOR X

Aquella tarde dejé el Prado apenas una hora antes del cierre. Por alguna razón había perdido de nuevo, y completamente, la noción del tiempo. ¡Estuve cuatro horas dentro del museo! Pese a todas mis cautelas, ni siquiera el miedo a tropezar con el misterioso espía de El Escorial me había ayudado a escapar del abrazo de sus salas.

La noche había caído implacable sobre la ciudad, convirtiendo los solemnes alrededores del edificio Villanueva, la plaza de Neptuno y el hotel Ritz en un crisol de farolas macilentas y ventanas iluminadas. Fue entonces cuando eché un vistazo al reloj. Eran las siete y cinco. Debía darme prisa si aún quería ver a Marina en casa de su tía Esther y preguntarle cómo había pasado su primera jornada tras el susto del señor X.

El camino más rápido para llegar al piso de Esther —taxis aparte— atravesaba el parque del Retiro. Había que cruzarlo a pie hasta desembocar en la avenida Menéndez Pelayo, justo al otro extremo del gran bosque urbano de Madrid, y para eso lo mejor era recorrer las avenidas que serpenteaban entre la arboleda del parque. Todavía era una hora tranquila, no hacía demasiado frío y esa opción se me antojó mucho mejor que la de subirme al metro y hacer dos transbordos hasta la parada de la calle Ibiza.

Sereno, marchando a buen paso, con las manos hundidas en los bolsillos del anorak y la bufanda cubriéndome las orejas y la boca, me dejé ir en una nube. Tenía la cabeza desbordada de sensaciones. Así que lo primero que hice fue inspirar profundamente el aire fresco del parque y repasar hacia dónde me estaba llevando todo aquello. Quería aprovechar mi paseo para tomar una decisión respecto a Marina. Valorar si la dejaba dentro o fuera de aquel juego y si yo debía continuar o no en él. Lo malo fue que, torpe de mí, en lugar de tomar decisiones prácticas terminé dándole vueltas a la forma de ver el arte que estaba aprendiendo del maestro, olvidándome otra vez del «lado humano» de todo aquello. Pero es que el asunto tenía su gracia. Por culpa de un perfecto desconocido, había empezado a mirar algunos de los cuadros del Prado casi como si fueran especímenes de otro planeta. Ahora los veía como mecanos creados por mentes ultrasensibles que lo último que buscaban era proporcionar placer estético. Empezaba a convencerme de que el gran propósito de sus autores, su sentido último, siempre había sido el de mantener abiertos ciertos umbrales de percepción hacia el «otro mundo». Como si el arte conservara intacta esa carga mágica que tuvo en sus comienzos hace cuarenta mil años, en las cavernas del norte de España.

Si Fovel estaba en lo cierto, aquél era un *secreto* que sólo conocían ellos. Acaso alguno de sus mecenas. Y ahora yo. Claro que, vista a unos cientos de metros del museo, con los pies sobre el pavimento helado del parque, aquella idea se antojaba poco menos que ridícula. ¿Rafael, Tiziano y Juan de Juanes abriendo ventanas al más allá con sus pinceles? Resultaba asombroso que sólo unos minutos antes Fovel hubiera conseguido que esa afirmación pareciera de una coherencia aplastante. ¿Y por qué el maestro del Prado se había fijado en un estudiante de periodismo para contarle todo aquello? Yo no era un experto en pintura. Ni tampoco uno de esos tipos que piden permiso para plantar sus caballetes frente a una obra maestra y se arman de paciencia para copiarla. No pertenecía a ese mundo. De hecho, no estaba seguro de pertenecer a ninguno...

—¿Señor Sierra?

Alguien resopló a mis espaldas, lejos, quizá en la embocadura de la cuesta que enfila hacia el paseo de las estatuas del Retiro, como si hiciera esfuerzos por alcanzarme.

—¿Señor Sierra? —repitió.

Mi ensoñación se rompió en mil pedazos.

—Es usted, ¿verdad? Por favor, ¡espéreme!

Que un desconocido pronunciara en voz alta mi apellido desde la penumbra de los jardines del parque me sorprendió menos que el hecho de que me tratase de usted.

—¡Aguarde! —insistió—, ¡tengo algo que decirle!

Antes de que pudiera echar a correr, un hombre que lanzaba grandes bocanadas de vaho por la nariz y la boca apareció a mi lado. Emergió de la nada, alcanzándome justo bajo la figura de doña Urraca, y cuando lo tuve enfrente maldije no haber salido por pies. Hubiera sido fácil, la verdad. Aquel tipo arrastraba ligeramente una pierna y no me habría alcanzado.

—Diablos... ¡Sabía que le encontraría aquí! —exclamó triunfal, con el aliento entrecortado, y sin esperar a que dijera una palabra, añadió—: Ustedes siempre caen.

—¿Cómo dice?

—Que los de su clase caen como moscas en la miel —replicó palmeándome la espalda, en un gesto de mal gusto—. ¡Si es que no pueden evitarlo! Je, je. La curiosidad les pierde.

El hombre parecía divertirse. Por culpa de la mala luz no pude verle bien la cara, pero hubiera jurado que sonreía de oreja a oreja. Era un tipo de rostro vulgar, pelo escaso y piel cerúlea. Había, no obstante, algo en aquel sujeto que me resultaba familiar. Como si ya lo hubiera visto en otra ocasión. Pero la gabardina Burberrys beige que llevaba desabotonada y su impecable traje negro con corbata a juego me hicieron desestimar semejante idea. Debía de ser un individuo respetable. Salvo a los profesores de mi facultad y a los compañeros de la revista, yo no frecuentaba mucho a gente con corbata.

—Oh, perdone. ¡Qué descortés soy! No me he presentado —sonrió, enrollando el periódico que llevaba y colocándoselo bajo la axila—. Me llamo Julián de Prada y soy inspector de Patrimonio.

—¿Policía? —pregunté algo intimidado.

—Algo así. Pertenezco a una brigada que se ocupa de proteger la integridad de las obras de arte y joyas bibliográficas de este país.

Observé al hombre con franca desconfianza.

—¿Ah, sí? ¿Y qué era eso que le hacía tanta gracia? —inquirí—. ¿Eso que dijo de las moscas?

—Je, je. Permítame explicárselo: llevamos años tratando de detener a un hombre con el que usted ha estado hablando en las últimas semanas. Es muy escurridizo y sólo se deja ver de tarde en tarde. Así que, sin que usted lo supiera, hemos estado utilizándole como cebo para atraparlo..., je, je.

Abrí los ojos como platos. Obviamente estaba hablando del maestro.

—Pero ¿qué ha hecho?

—Qué no ha hecho, más bien... —suspiró—. Hace años ese hombre trabajó en el Palacio Real, ¿sabe? Tuvo un cometido parecido al mío. Inventariaba y compraba obras de arte para su colección. El caso es que desde entonces ha estado reuniendo por su cuenta y a espaldas de los controles de Patrimonio una cantidad indeterminada de obras, y no sabemos qué piensa hacer con ellas. Nunca ha querido decirnos nada. Nos rehúye. Pero antes de Navidad descubrí que había contactado con usted. Primero los vi juntos en el museo. ¡Parecían tan entretenidos, je, je! Y luego confirmé que había algo entre ustedes en cuanto cursó una solicitud en la Biblioteca de El Escorial para acceder al *Apocalypsis Nova*. Ésa es una de las debilidades del doctor, ¿sabe? El viejo siempre habla de lo mismo.

—¿Y dice usted que me ha visto con él?

—Justo antes de Navidad. No lo niegue. Estaban hablando delante de *La Perla*. ¿Lo recuerda?

De repente supe por qué el señor De Prada me resultaba familiar. Tuvo que ser él quien hizo huir al maestro en nuestro primer encuentro. Debía de estar escondido en el grupo de turistas que apareció de repente en la gran galería de pintura italiana y lo puso tan nervioso. Pero ¿por qué?

—Entonces... —deduje—, usted debe de ser quien estuvo consultando el libro del beato Amadeo en El Escorial la semana antes de mi visita, ¿no?

Don Julián enseñó su dentadura blanca en señal de asentimiento.

—Y también quien visitó a Marina ayer para decirle que me alejara de Fovel...

El hombre asintió por segunda vez.

—Sólo tenía la dirección de su chica, no la suya. Como inspector accedí al registro de visitas de ese día, y allí estaban sus señas. Conocía sus movimientos en el museo, sabía que el doctor Fovel merodeaba cerca de usted, pero ignoraba dónde diablos localizarlo. Por suerte, como suponía, ha sido fácil hacerle venir hasta aquí —añadió con cierto regodeo.

—¿Fácil?

—Oh sí, je, je. Una de las debilidades del doctor es que siempre atrae a la misma clase de cómplices. Jovencitos. Curiosos. Maleables. Y tras dos o tres visitas termina llevándolos ante *La Gloria*. No falla —dijo frotándose las manos y expulsando más vaho—. En realidad, el viejo se interesa con cualquier cuadro que tenga que ver remotamente con la muerte y con los Austrias. Así que, si me adelantaba a sus costumbres y conseguía despertar en usted la curiosidad por ese cuadro de Tiziano haciendo que en una de sus visitas al museo se detuviera frente a él, sólo habría que esperar a que el doctor apareciese y... ¡zas!

—¿Zas?

—Je, je. Usted no lo sabe, pero lo tenía todo preparado para cogerlo esta tarde. Es una lástima que Fovel no haya venido...

Me quedé estupefacto.

De Prada y yo dejamos atrás el paseo de las estatuas y juntos nos dirigimos hacia la orilla del estanque del Retiro bajo esqueletos de nogales y castaños. A esa hora las barcas de recreo ya se habían retirado y en el paseo que lo circundaba sólo había una pareja de novios y tres tipos en chándal haciendo *footing*. Entonces volví el rostro hacia mi interlocutor, esperando que dijera algo más. Algo que explicara por qué no nos había visto juntos frente a *La Gloria*.

—Fue muy hábil por su parte dejarle a Marina esas páginas con la momia de Carlos V... —murmuré.

—¡Bah! —soltó, en un tono que me recordó a un gato relamiéndose satisfecho—. Podría haber utilizado cualquier cosa de ese periodo. ¡Los dichosos Austrias creían que los cuadros estaban vivos!

—Lo dice como si le molestase.

—Hombre... A decir verdad, sí. Imagínese. Después de

que Carlos V muriera con *La Gloria* en la retina, su sucesor, el gran Felipe II, el rey de El Escorial, falleció en sus aposentos rodeado de cuadros que él creía que eran capaces de percibir su dolor, como si fueran criaturas vivas, casi sobrenaturales.[67]

—No es el primero que me dice algo así —dije recordando al viejo padre Juan Luis de El Escorial.

—Ya. Por desgracia, fue una locura muy extendida en aquella época. Alcanzó incluso a sus súbditos, que se contagiaron de esas ideas más de lo que puede usted imaginar.

—¿Se contagiaron? ¿Qué quiere decir?

—Las ideas se contagian, señor Sierra. Por eso precisamente estoy aquí. Para evitar otra epidemia. ¿Sabía usted que poco después de morir Felipe II hubo religiosos y laicos en todo el país que afirmaron haber visto el alma del rey salir del purgatorio y entrar en el reino de los cielos?

—Pues...

—Pues los hubo —me atajó—. Algunos, como el carmelita fray Pedro de la Madre de Dios, llegaron a declarar que semejante acontecimiento se produjo ocho días después de la muerte del rey. Años más tarde otros, como mi tocayo fray Julián de Alcalá, dijeron incluso haber visto cerca de Paracuellos del Jarama dos nubes extrañísimas, coloradas, fundiéndose en una sola al tiempo que se producía el ascenso a los cielos del alma del monarca.

—Vaya. Ovnis...

—¡No diga sandeces, muchacho! La visión de fray Julián fue famosísima. Se cita en muchos textos de la época y quedó debidamente documentada. Ocurrió a finales de septiembre de 1603. De hecho, tanto se habló de ella, tanto fue de boca a oído, que el propio Murillo acabó pintándola en un lienzo para el convento de San Francisco de Sevilla. ¡Ni se imagina lo que recuerda a *La Gloria*! Si pudiera verlo ahora, distinguiría una columna de fuego en la tierra, que representa el purgatorio, y una abertura en los cielos en la que aparece la Virgen esperando al monarca. Nuestros reyes no sólo creían en cosas extravagantes que iban mucho más allá de su fe católica, sino que crearon todo un estilo pictórico de lo sobrenatural que, créame, resulta molesto al hombre moderno.

Dejé que don Julián finiquitara su perorata, que se sacara un cigarrillo del bolsillo de la americana y que su mechero relampagueara en medio del Retiro antes de hacer un primer intento por zanjar nuestra conversación. Había algo en su discurso que me parecía extraño. Que iba más allá de sus competencias como inspector de Patrimonio. ¿Lo era realmente? ¿Y cómo iba yo a saberlo? Sea como fuere, los vaivenes de humor de aquel tipo —ora ácido, ora exaltado— empezaban a ponerme nervioso.

—Dígame —dije para ir preparando mi salida sin que se notara—, entonces conoce usted bien lo que le gusta a Fovel, ¿no es eso?

—Lo suficiente. Es un charlatán de otra época. Casi, casi como usted. Estas cosas le vuelven loco.

Hice como si no hubiera escuchado su grosería, pero mi interlocutor insistió:

—¡Vamos, jovencito, je, je! No se ofenda usted. Estamos acabando el siglo xx. El hombre ha llegado a la Luna. Ya tenemos televisión privada. Y con el *Concorde* podemos volar de París a Nueva York en menos de cuatro horas. ¿Qué sentido tiene seguir hablando y hablando de místicos, apariciones de difuntos o milagros? ¿Quién necesita hoy a un santo capaz de estar en dos sitios a la vez si la física ya vislumbra la capacidad de teleportar partículas elementales de un lugar a otro del universo? ¿Para qué va usted a tragarse relatos de brujas volando sobre escobas si ya se han descubierto drogas capaces de producir esa sensación?

La visión de fray Julián de Alcalá. Bartolomé Esteban Murillo (ca. 1645-1648).
The Sterling and Francine Clark Art Institute, Williamstown, Massachusetts.

—¡Ah...! —exclamé, creyendo entender de repente el porqué de aquel discurso—. Entonces todo esto me lo está diciendo por la revista para la que trabajo. Es eso, ¿no? Por eso va detrás de mí. Porque teme que publique lo que Fovel me está contando y eso le molesta...

Julián de Prada se puso serio de repente.

—Mire, muchacho: todavía es usted un hombre joven y con un talento prometedor. Aún está a tiempo de no desperdiciarlo estudiando tonterías. Concéntrese en su carrera. Sáquese el título. Y deje de meter las narices en asuntos que no le incumben o...

—¿O qué? —lo presioné retirando mi mirada del estanque.

—... O echará a perder su futuro. Hágame caso. Lo que el doctor está contándole se lo ha dicho antes a muchos como usted, y créame si le digo que terminó volviéndolos locos a todos.

Aquellas palabras de don Julián no sonaron a amenaza, sino a una extraña y sincera preocupación. Me arrebujé en mi anorak como si necesitara meditar un segundo aquel consejo y, sin despegar la vista de la silueta del monumento ecuestre a Alfonso XII que emergía al otro lado del estanque, musité:

—Lo que no termino de comprender es por qué se preocupa por lo que el doctor Fovel pueda o no decirme. Son cosas de especialistas. Interesan a poca gente.

—Oh, no se equivoque —replicó mi interlocutor dando otra profunda calada a su cigarrillo—. No me preocupa lo que Fovel le diga, sino lo que usted pueda contar después. Tarde o temprano, como usted ha dicho, publicará algo de lo que le ha contado. Y lo hará porque le parece intrigante, original, sin darse cuenta de que con esa acción estará alterando un orden que lleva siglos funcionando.

Eso es lo que quiero evitar. Me preocupa que la semilla de Fovel pueda prender en este mundo real que tanto nos ha costado construir. Llevamos dos siglos de razón pura, de triunfo de la ciencia, para que lleguen usted y otros como usted y empiecen a interesar a terceros, otra vez, en lo invisible, en lo inefable. En lo que no se puede pesar ni medir. Dígame, ¿se imagina usted un Museo Nacional del Prado lleno de visitantes que busquen entrar en trance delante de sus cuadros? ¿Convertiría usted el gran templo de la cultura española en la meca de los locos de medio planeta? Vamos. Sea responsable, por Dios.

—Pero eso es muy improbable que ocurra.

—No se crea. Usted no vivió los años sesenta, ¿verdad? En esa época nació un movimiento contestatario alrededor de un libro titulado *El retorno de los brujos*. Entonces lo llamaron «realismo fantástico», y echó raíces en revistas, colecciones de ensayos, programas de radio y de televisión, y hasta sedujo a la clase universitaria europea. Sus autores hablaban de conspiraciones, universos paralelos, sincronicidades, milagros, bibliotecas perdidas y tecnologías remotas olvidadas con las que pretendieron reescribir la Historia. Incluso reinterpretaron la segunda guerra mundial en clave ocultista, afirmando que Hitler y Churchill mantuvieron mucho más que un conflicto armado. Lo suyo fue, dijeron, una guerra ritual en la que tomaron parte magos, astrólogos y videntes de todo tipo, ¡como en la Edad Media!, y en la que se jugó el porvenir espiritual de Occidente. Imagínese: llegaron incluso a sugerir que esas disciplinas eran el eco de una ciencia prehistórica que perdimos tras alguna catástrofe y que luego malinterpretamos. Según ellos, la alquimia encerraba profundos conocimientos del átomo. O la astrología de la estructura del universo. ¡Lo de esa gente fue un disparate tras otro! Pero ¿sabe qué?, sus ideas calaron hondo. Muy hondo. Tanto que usted es, sin saberlo, una víctima más de ese deplorable sistema de pensamiento que, por suerte, se logró neutralizar en buena medida... hasta hoy.

Aquel discurso terminó de escamarme.

—¿Qué me dijo usted que era? —le pregunté.

—Inspector de Patrimonio.

—Pues parece un cura.

—Je, je —masculló otra vez, divertido por mi observación—. Le entiendo. Aún es usted muy joven y es lógico que le complazca atacar a todo lo que huela a institucional. De hecho, puede no creer ni una sola palabra de lo que acabo de decirle, pero debería hacerme caso. No se acerque al lado oscuro, muchacho. Aléjese de Fovel... O lo lamentará.

—¿Es eso una amenaza?

—Tómelo como quiera.

—Entonces pensaré que es su segunda torpeza del día.

La sonrisa ácida de mi interlocutor se ensombreció de repente.

—¿A qué se refiere?

—Bueno... —dudé—. No pensaba aclarárselo, pero el doctor Fovel, el hombre al que usted persigue con tanto ahínco, sí ha estado hablando esta tarde conmigo en el museo. Que no lo haya visto dice mucho de sus... habilidades.

Un atisbo de desconcierto nubló por un instante su mirada.

—¿Y...? ¿Y dónde se han encontrado?

—Frente a *La Gloria*, tal y como usted esperaba.

—No es posible.

—¿Y sabe otra cosa?

De Prada no pestañeó.

—Que ya tengo respuesta a su ultimátum: voy a seguir

viéndome con él. Afecte o no a su idea del mundo. No va a detenerme por eso, ¿verdad?

—No, claro. —En su cara se dibujó un gesto ácido—. Pero entonces tenga mucho cuidado en no convertirse en su cómplice. La próxima vez que nos veamos podría no ser tan amable con usted. Dicho queda.

13

EL JARDÍN DE LAS DELICIAS

Dos días tardé en quitarme el amargo sabor de boca que me dejó la conversación con don Julián de Prada. Hasta entonces no me di cuenta de que la razón que lo había llevado a acercarse a mí era el miedo. Miedo a que un joven torpe y desinformado como yo alterara un orden que no acertaba a comprender. Miedo, en definitiva, a que afilara las armas de periodista que en esos días ponía a punto con mis estudios y terminara por revelar algo que le resultaba incómodo. Pero si algo bueno tuvo mi encuentro con aquella especie de diablo trajeado fue que me ayudó a tomar una decisión respecto a Marina. Definitivamente iba a dejarla fuera de aquel embrollo. Era lo mejor. Al menos hasta que averiguara qué estaba pasando exactamente en el Prado y cómo de peligrosas podían llegar a ser las amenazas de don Julián.

En esas cuarenta y ocho horas no pasaron grandes cosas. O eso me pareció. Visité dos veces la casa de la tía Esther hasta que convencí a Marina y a su hermana de que ya no tenían nada que temer. Por supuesto, no les dije que había conocido al señor X, y mucho menos que toda su atención ya estaba puesta sobre mí. También aproveché para ponerme al día con la universidad y con la revista. E incluso saqué algo de tiempo libre para preparar mi siguiente visita al museo. Si antes ya estaba convencido de que iba a continuar viéndome con el maestro, tras el encuentro con don Julián mi decisión se había hecho más firme que nunca. Eso sí: realicé cada una de mis gestiones buscando siempre la larga sombra del señor X con el rabillo del ojo. Y como éste, por suerte, no se dejó ver, su ausencia terminó por despertar en mí fuerzas que no sabía que tenía. Por primera vez sentí que podía ser yo quien llevara la voz cantante en aquella historia. Y quien eligiera la lección que recibir o el cuadro que visitar. Incluso tomé la determinación de registrar cada nuevo paso que diera. Cada revelación. Pero lo que no quise ver fue que aquel indeseable había marcado mi rumbo por segunda vez. Por culpa de sus palabras en el parque, ahora quería saberlo *todo* sobre Felipe II. Lo necesitaba. Intuía que en esa figura —o quizá en alguno de los seiscientos retratos que se encargó en vida— encontraría pistas que me ayudaran a comprender en qué clase de guerra había puesto el pie.

Y en la penumbra de mi mesa de estudio, en la habitación C33 del Colegio Mayor Chaminade, empecé a trabajar en esa dirección.

No fue difícil dar con varias descripciones de la muerte del rey, acaecida en sus aposentos del monasterio de San Lorenzo de El Escorial el 13 de septiembre de 1598. Todas bebían de lo que había dejado escrito el jerónimo fray José de Sigüenza, a quien ya conocía por su relato de las últimas horas de Carlos V. Sigüenza fue uno de los hombres clave de ese periodo, relicario real —esto es, conservador de las reliquias de santos pertenecientes al monarca—, así como el primer historiador del monasterio escurialense. Esas fuentes, en consecuencia, venían a decir más o menos lo mismo que él: que a finales de junio de 1598, viendo que su salud mermaba, Felipe II, de setenta y un años de edad, aquejado de gota, víctima de una sed insaciable, vientre y extremidades hinchados y dolores por todo el cuerpo, decidió abandonar el Real Alcázar de Madrid e instalarse en las dependencias del gigantesco complejo que había levantado para que le sirviera de tumba.

Su viaje entre la corte de Madrid y El Escorial debió de ser tremendo. El rey y su séquito emplearon seis jornadas para recorrer sólo cincuenta kilómetros. Lo hicieron bajo un sol de justicia, deteniéndose en casas de la corona estratégicamente situadas en la ruta, y con el hombre más poderoso del mundo al borde del desfallecimiento. El ácido úrico había avanzado tanto que ya tomaba el control no sólo de los pies sino también de los brazos y las manos. Felipe II tenía el cuerpo en carne viva. Hasta el roce de la ropa le provocaba dolor. No podía caminar. Le costaba un mundo estar sentado en su carruaje. Y las llagas que empezaban a supurarle emanaban un olor nauseabundo que no presagiaba nada bueno.

Pronto supe que nada más llegar a su destino fue recluido en el humilde dormitorio que él mismo se había diseñado en el extremo sur del monasterio. De no ser por la cama con dosel que llenaba la estancia casi por completo, aquel cuartucho le hubiera parecido una celda a cualquiera. Pero no así al rey. Estaba situado en una zona privilegiada del edificio, en la vertical exacta del panteón donde pensaba ser enterrado, y desde un discreto ventanuco practicado a su izquierda podría seguir las misas del altar mayor sin levantarse de la cama. Justo enfrente, además, un portón de doble hoja abría el recinto a un amplio y luminoso corredor adornado con un rústico friso de azulejos de Talavera por el que podrían circular sus doctores, confesores y ayudas de cámara. Y pared con pared con su cabecero, en otro cuarto de reducidas dimensiones, tuvo siempre a punto su escritorio y una pequeña biblioteca de no más de cuarenta volúmenes.

El primero de septiembre de 1598, menos de un mes

después de instalarse en la «fábrica de Dios», Felipe II firmó su último documento como monarca y recibió la extremaunción. Casi paralizado por el dolor, con fiebres cada vez más altas y sin poder articular palabra, pasó sus últimas jornadas en la Tierra recibiendo visitas que le hablaban de lo que sucedía en sus dominios, o escuchando cómo su hija favorita, Isabel Clara Eugenia, le leía pasajes del libro de los Salmos. El Rey Prudente —así lo bautizará la Historia— estaba preparado para morir. Pero consciente de lo cercano que estaba su final, quiso pertrecharse de dos ayudas más.

Por un lado, sus queridas reliquias. En El Escorial había atesorado nada menos que 7.422 huesos de santos. Además de decenas de falanges ennegrecidas, un pie de san Lorenzo con los carbones de su martirio adheridos al hueso, doce cuerpos enteros y más de cuarenta cráneos humanos, también reunió varios cabellos de Jesús y de la Virgen o un brazo de Santiago Apóstol, así como astillas de la cruz y la corona de espinas. Sin titubear, dispuso que se los colocaran por turno sobre ojos, frente, boca y manos, creyendo que de este modo mitigarían su dolor y ahuyentarían al Maligno. El padre Sigüenza llegó a decir de semejante colección: «No tenemos noticia de santo ninguno del que no haya aquí reliquia, excepto tres»,[68] y justificaba tan colosal empresa como un intento del rey católico por impedir que éstas cayeran en poder de los protestantes, convirtiendo de paso su monasterio en el camposanto más sagrado de la cristiandad.

Pero Felipe II exigió algo más: quiso que transportasen hasta su escueta dependencia algunos cuadros ante los que deseaba orar en sus últimas horas.

Semejante orden, claro, me resultó muy familiar.

Este rey, que en tantas cosas había emulado a su padre Carlos V, deseó también hacer su *meditatio mortis* ante imágenes elegidas por él. De hecho, hasta tal punto llegó a imitarlo que días antes envió una comisión para que abriesen el ataúd del emperador con instrucciones de que tomasen buena nota de cómo había sido enterrado para que así lo sepultaran a él. Felipe —ya me lo advirtió don Julián— estaba convencido de que tanto el espíritu de su progenitor como esas pinturas «de muerte» iban a contemplarlo de un modo u otro, apiadarse de su sufrimiento e incluso socorrerlo en su agonía.

Impactante, pues, debió de ser el momento en el que ordenó que le llevaran junto al lecho uno de los trípticos más extraños de su colección: *El jardín de las delicias*. La obra cumbre de Hieronymus van Aken —también llamado el Bosco o Jerónimo de Aquisgrán— apenas llevaba cinco años en El Escorial, pero su contenido irreverente ya había despertado toda suerte de comentarios en la corte. ¿En qué pasaje bíblico se mencionaba aquella marea de hombres y mujeres desnudos, cohabitando en un jardín de frutas y aves gigantes, entregados a los placeres de la carne? Nadie, sin embargo, se atrevió a contradecir la última voluntad del monarca. Y así, sin oposición alguna de los frailes que lo atendían, aquel imponente retablo de 2,20 × 3,89 metros fue colocado junto a su tálamo, haciéndose lo imposible para que el monarca pudiera admirarlo y orar ante él.

Ahora bien: ¿por qué el hombre más poderoso de la cristiandad pidió tener junto a él *precisamente* aquella obra? Desde que fue confiscada en los Países Bajos al príncipe protestante Guillermo de Orange en 1568 y enviada a España, a manos particulares primero y a El Escorial después, siempre estuvo rodeada de polémica. Era una pintura extraña. Ajena en mil y un pequeños detalles a la Biblia. Sembrada de animales imposibles y cohortes de diablos espantosos. Y con todo, Felipe II, el monarca más católico de Europa, no paró hasta poseerla. ¿Qué sabía, pues, el viejo rey de esa composición que nuestra Historia no ha sido capaz de explicar?

Ésas y no otras iban a ser las preguntas que llevara conmigo al Museo del Prado en mi siguiente visita. Necesitaba saber hasta qué punto la imagen que me había hecho del gran Felipe II exhalando su último aliento en la madrugada en la que se cumplían catorce años exactos de la colocación de la última piedra de El Escorial, con el cuadro del Bosco apoyado en algún lugar de su dormitorio o del corredor anejo, temeroso de sus diablos, tenía o no algún sentido.

Ya sólo faltaba que el maestro del Prado acudiera a mi llamada silenciosa y me desvelara el porqué de esa enigmática fascinación del rey por el Bosco.

11 de enero de 1991. Viernes. Los recuerdos de esa jornada acuden a mí tan meridianos como surrealistas. Poco importa que los ordene dos décadas más tarde. Quizá los vivos colores que conservan en mi memoria sean el reflejo exacto de lo que *El jardín de las delicias* provoca cuando uno se expone demasiado tiempo a sus imágenes. Por eso quiero plasmarlos tal cual emergen. Ruego comprensión en quien los lea, ya que las páginas que siguen son el producto del impacto que una tabla de quinientos años ejerció en la mente de un muchacho que soñaba con comprender lo inefable.

Qué incauto fui.

Como cualquier visitante del Prado sabe, la *tabla mortuoria* de Felipe II descansa en la sala 56a. Lleva ahí casi medio siglo. Se trata de un aula rectangular sita en la planta baja del edificio, que bombea calor a espuertas a través de diez rejillas disimuladas en su discreto friso de mármol. Yo, que acabo de atravesar el museo a grandes zancadas, con el rostro aún cubierto con una bufanda y unas gafas de sol por temor a encontrarme con la persona equivocada, percibo en el acto su ardiente bofetada. Estoy a punto de descubrir que en el edificio existen lugares con una atmósfera «especial». Son reductos que se perciben diferentes al resto, quizá por los cuadros que cobijan, quizá por otra cosa. El caso es que ese vicrnes, justo allí, en el corazón de la macabra habitación 56a, aferrado a la bolsa de mi cámara, percibo algo inusual. Puede que le parezca poca cosa al lector, pero, cuando empiezo a quitarme de encima capas de ropa, una emoción que no había sentido en ninguna de mis visitas anteriores se me instala en el pecho. Es una impresión breve. Como si el calor, las prisas, el millar de ojos pintados que apuntan hacia mí y cierto miedo irracional hubieran saturado mi sistema nervioso para, a continuación, hacerme temblar de pies a cabeza. Me mareo. Dejo la bolsa en el suelo. Me recompongo. Y cuando creo haber restablecido el equilibrio tomo otra vez conciencia —así, de golpe, igual que sucedió después de conocer al señor X— de quién soy yo y qué hago allí.

Interpreto aquello como una señal. Inspiro hondo, «¡Estoy listo!». Esta vez, la certeza es de acero. Imposible de trasladar a palabras. Y quema como el fuego.

«Todo va a salir bien», me digo.

Enseguida descubro que en el centro de la sala de los Boscos hay plantado una especie de mueble. No existe nada parecido en todo el museo. Es una mesa. En realidad, un expositor horizontal diseñado para sostener una tabla que, según sabría después, estuvo en el despacho de Felipe II hasta el mismo día de su muerte. Todas las guías la llaman *La mesa de los pecados capitales*, pero en realidad se trata de una curiosa pintura circular, ejecutada con técnica de miniaturista sobre tablas de madera de chopo, que muestra las tentaciones a las que está sometida el alma humana. Lo que más llama la atención es que éstas han sido distribuidas dentro de una especie de ojo gigante, hipnótico, que parece que puede traspasarte el alma. *Cave, cave, Deus videt,** leo. Y, como impelido por los siete tondos o secciones que rodean a esa pupila, comienzo a dar vueltas a su alrededor para admirar sus escenas de miniatura.

Algo he hecho bien, después de todo.

Al orbitar durante un rato en torno al «ojo de Dios», pongo en marcha no sé qué. Una percepción. Una visión. Tal vez a ese «duende máximo» del Prado que el psiquiatra y experto en arte Juan Rof Carballo supone escondido precisamente en la *Mesa*, y que imagina «burlándose de los críticos por no haber practicado en su vida los beneficios y por no haber conocido las sirtes y escollos de la meditación, ignorando que todo ello representa otra concepción del mundo».[69]

¿Debo, entonces, abrir la mente?

¿Seguir girando como un derviche?

¿Acaso expandir mi conciencia, perdiéndola dentro de las alucinógenas escenas del Bosco que me rodean?

¿Y cómo?

Me sobrecoge descubrir de repente que estoy merodeando en torno a una obra apocalíptica. Una más en aquel galimatías en el que he caído. Dos filacterias con citas del Deuteronomio escritas en latín lo dejan muy claro: «Es un pueblo sin raciocinio ni prudencia. Ojalá fueran sabios y comprendieran y se prepararan para el fin»,[70] dice la primera, en la parte superior de la tabla. Y abajo: «Apartaré de ellos mi rostro y observaré su fin.»[71]

Desasosegado, levanto la vista y veo que toda la sala parece, de un modo u otro, conectada a la muerte. ¿Por eso mi cerebro la percibe distinta a cuantas he visitado antes?

---

* «Cuidado, cuidado, Dios observa.»

Dudo.

A mi alrededor cuelgan una decena más de obras maestras de artistas extranjeros. Casi todas son también del Bosco. *El carro de heno. La extracción de la piedra de la locura. Las tentaciones de san Antonio.* Pero también *El triunfo de la muerte* de Brueghel. Un *San Jerónimo* y *El paso de la laguna Estigia* de Patinir. Y, por supuesto, señoreando aquel panorama de imágenes inquietantes, *El jardín de las delicias.* Mi verdadero objetivo.

Dada la hora —las dos de la tarde, con la ciudad a punto de estrenar fin de semana—, el lugar se encuentra desierto. Sigo sin avistar a ninguno de los bedeles que deberían estar cuidando esta ala del museo, así que, algo más confiado, me siento en el suelo frente al famoso tríptico y aguardo a que el maestro Fovel me encuentre.

«Llegará», me digo convencido. «Siempre lo ha hecho.»

Saco mi Canon de la bolsa, cargo un rollo en el tambor, ajusto la apertura del diafragma y la dejo preparada entre las manos. «Todo saldrá bien», me repito como un mantra.

Es entonces cuando me doy permiso para levantar por primera vez los ojos hacia el *Jardín.*

La tabla de la izquierda parece la más serena del conjunto. Por un momento creo que si concentro mi atención en ella lograré apaciguar mis nervios. Funciona. Sus colores, sus imágenes principales, desnudas pero sosegadas, logran decelerar mi respiración por un momento. Y al cabo de un minuto empiezo a fijarme en la constelación de detalles que se abre ante mí. La pintura es un prodigio. Aunque mires una y otra vez un mismo cuadrante, siempre encuentras algo nuevo en lo que fijar la atención. Y eso que, a diferencia del resto de la composición, la parte del tríptico que he elegido es la menos saturada de todas. De hecho, parece muy sencilla de entender. Está casi desprovista de figuras en comparación con las otras dos. Pero se trata de un mero efecto óptico. Aunque es cierto que sólo se ven tres humanos en esa escena, el universo animal que hay detrás se antoja infinito: elefantes, jirafas, puercoespines, unicornios, conejos y hasta un oso subiéndose a un frutal.[72] Por alguna oscura razón, algunos de ellos —sobre todo los pájaros— aumentarán de tamaño y se convertirán en gigantes en la tabla de al lado. Pero el artista no insiste en ese detalle. Quiere que nos centremos en las tres figuras humanas. Y lo hago.

Uno está vestido. Debe de ser Dios. Toma de la muñeca a una joven desnuda, Eva, y se la presenta a un Adán tumbado al que, deduzco, le acaban de extirpar una costilla. Hay algo en él que me deja perplejo: el Gran Cirujano, Dios, no presta atención alguna a sus creaciones. Ni siquiera parece interesado en presentarlas entre sí. Está mirándome a mí. Si he de hacer caso a lo que de ese momento dice la Biblia, está a punto de sentenciar algo: «No es bueno que el hombre esté solo.»[73]

Algo intimidado, tomo la cámara y, jugando con el teleobjetivo de 200 mm, click, click, obtengo detalles de esos ojos. Son penetrantes. Severos. Y, junto con los de la lechuza que se asoma del árbol-fuente-o-lo-que-sea que está sobre su cabeza, forman un conjunto de lo más perturbador.

Estar a sólo unos centímetros de esa tabla, en silencio, me hace sentir un escalofrío tras otro. «Pero ¿por qué?», me pregunto. «¿Acaso no es paz lo que debería evocar una imagen del paraíso?»

Entonces, levanto los ojos del visor y echo un nuevo vistazo a la sala. Las dos únicas puertas de acceso a la 56a permanecen mudas. No parece que vaya a franquearlas ningún visitante. Y así, sentado en el pavimento de gres, con las piernas cruzadas, regreso al cuadro. En algún lugar había leído que la tabla de la izquierda representaba la creación del hombre. El momento perfecto que Adán y Eva compartie-

El jardín de las delicias. Tabla I, «El paraíso».

ron en el jardín del edén antes de cometer la torpeza de ingerir el fruto del árbol de la ciencia del bien y del mal que, intuyo, podría ser la estructura rosada en la que ha anidado esa misteriosa lechuza. Hasta ahí la lectura fácil de esta obra. La miro. Me mira. Y me doy cuenta de que, por caprichos de la geometría, la misteriosa ave rapaz ocupa el centro exacto de la pintura. Pero hay más: al fijarme mejor en ese punto, percibo que no todo marcha bien en la escena. Dirijo la lente hacia allí para ampliarlo y descubro algo terrible: junto a la «fuente», saliendo de las aguas, distingo un reptil de tres cabezas. Lo fotografío. Y antes de que alcance a verlo a ojo desnudo, tropiezo con otro mutante más, ya cerca de mi posición: es un pájaro tricéfalo que parece pelearse con un pequeño unicornio y un pez con pico. A su derecha, un híbrido de ave y reptil devora a un sapo. Y en el lado opuesto, un gato ha atrapado a un roedor y se lo lleva para dar cuenta de él. «Pero ¿no había sido desterrada la muerte del paraíso terrenal?», barrunto recordando mis tiempos de lecturas bíblicas.

—¡Pobre Javier! Terminarás borracho si no ves esta imagen de la mano de un buen guía...

La voz del maestro del Prado, alta, grave y burlona, retumbó en la sala, estremeciéndola. A punto estuvo de caérseme la cámara de las manos.

—*El jardín de las delicias* es una excelente elección —sonrió a mis espaldas, satisfecho por el respingo que me había provocado—. De hecho, es algo así como el examen de fin de carrera para quien guste de los arcanos del Prado.

No puedo entender cómo Luis Fovel ha atravesado la sala sin llamar mi atención. El caso es que está allí. Firme, vestido con su abrigo de paño de siempre y sus zapatos de suela rígida, a menos de una zancada de mi improvisado asiento.

—¿Qué..., qué clase de examen? —balbuceo sin lograr salir del todo de mi asombro.

—Sería uno lleno de preguntas trampa —dice sonriente—. Nadie sabe nada a ciencia cierta de esta obra. Ni siquiera su nombre. *El jardín* es sólo una denominación moderna. Otros la han llamado *El reino milenario*, *La pintura del madroño*, *El paraíso terrenal*... Y esa ambigüedad es lo que la convierte en uno de los cuadros más importantes del arcanon del Prado. Si te digo la verdad, para mí es una pintura profética. Un aviso. Un augurio para nuestro tiempo. Pero mucho me temo que si quieres comprender esa función tendrás que mirarla desde otro ángulo. Si te enfrentas a ella así, de frente, como lo hacen los turistas, sólo cosecharás equívocos...

Le hubiera dado un abrazo allí mismo. Después de mi tropiezo con el señor X, tenerlo junto a mí de nuevo, iluminándome con sus lecciones, me hace sentir una euforia incontenible. Él lo percibe y me detiene, parapetándose tras una mirada gélida. Me advierte que entender *El jardín de las delicias* podría llevarnos una vida y aun así sería insuficiente, y me previene que lo que se dispone a contarme apenas servirá para raspar en la superficie de su misterio. «No has llegado al final de tu carrera», dice. «Apenas estás empezándola.» Guardo entonces mi entusiasmo y mis preguntas para el momento oportuno y, cerrando la tapa del objetivo de la cámara, me pongo en pie, me sacudo el pantalón y dejo que me conduzca hasta un extremo de la tabla.

El maestro hace entonces algo que me deja estupefacto: alarga la mano hasta el pesado marco dorado y negro del tríptico y tira con fuerza de él. Noto un leve crujido y, dócil, observo cómo la tabla del paraíso se mueve hacia nosotros, cerrándose sobre la parte central de la composición. Fovel repite la operación con la pieza opuesta, ocultando la obra como quien cierra un armario.

—¡Así es como debes empezar a admirar esta herramienta!

—¿Herramienta?

Fovel sonríe.

—Enseguida lo comprenderás, hijo. Pero antes dime, ¿qué ves?

El jardín de las delicias, cerrado, se me antoja todo un hallazgo. Está cuidadosamente pintado, pero apenas tiene color. Muestra una escena irreal, en la que todo lo domina una insípida esfera transparente habitada por una gran isla circular que simula emerger de las aguas. Sobre ella, en la esquina superior izquierda, muy pequeño, se distingue un anciano con triple corona y un libro abierto entre las manos. Es Dios y lo contempla todo cerca de dos frases escritas en letras góticas: *Ipse dixit et facta sunt* e *Ipse mandavit et creata sunt*.

—¿Qué significan? —pregunto después de silabearlas.

—Son palabras sacadas del primer capítulo del Génesis, hijo. Corresponden al segundo día de la creación, cuando el Padre ordena que emerja la tierra firme, la separa de las aguas y la llena de hierba y frutales. «Él lo dijo y todo fue hecho», «Él lo ordenó y todo fue creado», dicen.

—O sea, que esto representa un momento previo a la aparición del ser humano.

—En realidad, a la aparición de casi todo —me acota—. En términos joaquinitas, la escena se corresponde con el reino del Padre.

—¿En términos joaquinitas? ¿El reino del Padre? ¿Qué es eso, doctor?

—Ah, claro. Hay que explicártelo todo —responde sin fastidio—. ¿Recuerdas cuando hablamos de Rafael y de la famosa pugna de León X y el cardenal Sauli por convertirse en ese Papa Angélico que unificaría a la cristiandad?

Asiento. Cómo iba a olvidarlo.

—Pues bien —prosigue—, ya entonces te dije que el hombre que profetizó por primera vez la llegada de ese pontífice casi sobrenatural fue un monje que vivió en el siglo XIII. Un tipo temperamental del sur de Italia llamado Joaquín de Fiore. De ahí lo de joaquinita.

—Ya... —Trato de hacer memoria a toda prisa—. Recuerdo que mencionó la enorme influencia que tuvo en la redacción del *Apocalypsis Nova*. Pero no me dijo usted mucho más.

—Tienes buena cabeza —asiente—. Es verdad. No te hablé de la tremenda expansión que tuvieron sus ideas en la Europa del Renacimiento porque no era el momento oportuno. Pero ahora lo es. Fray Joaquín de Fiore fue un auténtico visionario. Comenzó a experimentar trances y éxtasis justo después de una visita al monte Tabor que hizo durante su peregrinaje a los Santos Lugares. Pero, ojo, además de vidente fue también un intelectual que desarrolló lo que llamó *spiritualis intelligentia,* una capacidad única para combinar razón y fe que lo convirtió en uno de los grandes pensadores de su tiempo. Todo el mundo lo tuvo en la máxima consideración. Mantuvo correspondencia con tres papas. Ricardo Corazón de León fue a escucharlo a Sicilia. Sus escritos eran considerados casi como la palabra de Dios. De hecho, fue en ellos donde anunció la inminente llegada de un Papa Angélico que uniría poder material y espiritual. Aunque lo que verdaderamente le importaba era lo que creía que iba a llegar después de ese pontífice: ¡el reino milenario!

—¿El reino milenario?

—Sí, hijo. Un periodo de mil años en los que, según De Fiore, Jesús regresaría a la Tierra y tomaría el control de nuestro destino. Lo curioso, hijo, es que *El reino milenario* es también el nombre más antiguo por el que se conoce a este tríptico, y refleja a la perfección lo que el monje esperaba que ocurriera con nuestro mundo. Su teoría debió de cruzar Europa a toda velocidad y llegar a los Países Bajos gracias a las principales órdenes religiosas del momento.

—Sigue asombrándome que las clases altas de esa época aceptaran ese tipo de anuncios...

—Eso era porque los profetas eran verdaderos intelectuales. No como hoy. Joaquín, por ejemplo, fue un gran estudioso de las Escrituras, y a partir de ellas clasificó la Historia de la Humanidad en tres etapas o reinos que todo el mundo entendió. Lo que ves aquí, en las puertas cerradas del tríptico, se corresponde a lo que llamó el reino del Padre. El periodo en el que Dios dio forma al mundo, representado dentro de esa esfera traslúcida que tienes enfrente. Los atributos de ese reino son el invierno, el agua y la noche. Todos están reflejados aquí. Ahora, Javier, abre el tríptico.

Miro al maestro desconcertado.

—¿Yo?

—Claro. Adelante. Elige la puerta que quieras abrir y tira de ella.

Elijo el portón izquierdo. Pesa más de lo que esperaba. Y de inmediato se despliega frente a nosotros la escena del paraíso ante la que me había embelesado poco antes. Imagino entonces el efecto dramático que esa misma apertura debió de tener sobre un espectador desprevenido en el Renacimiento. Pasar de un orbe gris, que en nada anuncia lo que viene después, a un universo multicolor, tuvo que dejar boquiabierto a más de uno.

—Excelente. Has tomado el camino de la advertencia —dice Fovel en cuanto el panel queda abierto de par en par.

—¿Cómo?

—Podías haber elegido el otro portón y abrir primero la escena del infierno. En ese caso habrías elegido el sendero de la profecía. Según el lado por el que empieces a analizar, esta obra te dará un mensaje u otro.

—No... No lo entiendo.

—No te preocupes —sonríe—. Yo te lo explicaré. Verás: Joaquín de Fiore, el lejano inspirador de esta tabla según algunos expertos, tenía una curiosa manera de entender la Historia, y parece que el Bosco comulgaba con ella. Creía que ésta podía interpretarse de dos formas diferentes, según si su estudio arranca en la creación y nos dirige hacia el nacimiento de Jesús o si parte de ese acontecimiento y nos lleva hacia su segunda venida. Para De Fiore ambos periodos son paralelos, duran lo mismo y se comportan como un espejo: el uno se refleja en el otro. Por eso, estudiando el primero puede anticiparse lo que está por venir en el segundo. Y el primero es el camino de la advertencia. El que has elegido. Al «leer» este tríptico desde la izquierda, primero verás el paraíso y la creación del hombre, luego su multiplicación sobre la Tierra y la ulterior expansión y corrupción a la que conduce el pecado de la carne. Y justo después, el fin. El infierno. El castigo por los excesos.

—¿Y si hubiera empezado a ver el panel desde la derecha, por el averno?

—Entonces, como te he dicho, tomarías el camino de la profecía. Entenderías que el primer panel muestra el reino del Hijo, el que vivimos hoy. Fíjate bien en ese infierno: la naturaleza brilla por su ausencia. Ahí sólo destacan edificios y cosas hechas por el hombre que se han vuelto contra él. Es el mundo que habitamos hoy. Por eso, al saltar al panel central, esa exuberancia de naturaleza, agua, frutas y seres vivos se interpreta como algo que está por venir. Te está diciendo que la humanidad está predestinada a librarse de las cargas del mundo para convertirse en una comunidad cada vez más inocente, menos apegada a la carne. Más espiritual. El panel central, pues, dejaría de verse entonces como la representación de los pecados de nuestra especie para admirarse como la representación de un estadio evolutivo superior respecto a la humanidad del infierno. Y entonces, viendo la última tabla, la de la izquierda, comprenderías que al final de los días volveremos al paraíso y estaremos codo con codo con Jesucristo. ¿O es que no te has fijado en que el hombre vestido del panel de la derecha se asemeja más a Jesús que al Dios anciano que está en la otra cara del panel?

—Hummm... —rumio—. ¿En eso creía De Fiore? ¿En que compartiremos la gloria con Jesús al final de los tiempos?

—Exacto. Para él ese destino, lo queramos o no, está escrito y es inapelable. Al final de los tiempos seremos capaces de ver a Dios y hablar con Él; la Iglesia y sus sacramentos se volverán inservibles.

—Una idea peligrosa...

—Sí. Mucho. Piensa que Joaquín de Fiore vivió tres siglos antes de que se pintaran estas imágenes, hijo, justo cuando nacía la Inquisición. Pero ni siquiera ésta fue capaz de frenar la difusión de su fe profética. Es más: viendo aquí este jardín, ahora sabemos que esa fe se extendió discretamente por toda Europa, ganando adeptos entre quienes veían a la Iglesia como una institución más opresora que espiritual. El hombre que encargó esta tabla a Hieronymus Bosch comulgaba absolutamente con dicha idea. Y seguramente quiso disponer de un «artilugio» con el que meditar sobre los dos sentidos de la Historia y el futuro de nuestra especie.

—Parece usted muy seguro, doctor. ¿Por qué habría de encargar nadie algo así? ¿No podría haberlo pintado el Bosco para sí mismo?

—Anda, vamos. No seas ingenuo, Javier. El arte no funcionaba de ese modo en el Renacimiento. Creo que ya te lo dije cuando te hablé de Rafael. Además, ¿te has fijado bien en este tríptico? ¿Lo has comparado con las otras pinturas del Bosco que hay en esta sala? No sólo es mucho más grande que todas ellas, sino que está infinitamente más poblada de figuras, es más meticulosa en sus trazos y más compleja de interpretar. Esta obra debió de llevarle mucho tiempo. Y mucho dinero en materiales. En el siglo XV, nadie trabajaba por placer o por ocio. Pintar no era un pasatiempo. Eso, sencillamente, no estaba en su mentalidad. Fue un encargo. Seguro.

—¿De quién?

—Ésa es la gran incógnita. Justo en plena segunda guerra mundial, un estudioso alemán perseguido por los nazis llamado Wilhelm Fraenger formuló una teoría que, todavía hoy, parece la única capaz de explicar todas las rarezas del cuadro. Según él, *El jardín de las delicias* fue una suerte de herramienta para que los fieles de un movimiento herético, los Hermanos del Espíritu Libre, pudieran meditar sobre sus orígenes y su destino.[74]

—¿Los Hermanos de qué?

—Del Espíritu Libre. En Centroeuropa se los conoció vulgarmente como adamitas, porque creían que, al ser hijos de Adán y creados por tanto a imagen y semejanza de Dios, eran incapaces de pecar. Fraenger descubrió que padres de la Iglesia como san Epifanio[75] o san Agustín[76] ya los mencionaban entre las primeras desviaciones de la fe verdadera, diciendo que practicaban sus ritos desnudos, en cavernas. «Desnudos, hombres y mujeres se encuentran», escribieron. «Desnudos rezan. Desnudos escuchan las lecturas. Desnudos reciben los sacramentos, y por esto llaman paraíso a su iglesia.»

Echo un vistazo al tríptico, sorprendido de lo ajustada que resulta esa descripción a la pintura.

—Las huellas de los adamitas llegan hasta la época del Bosco —prosigue el maestro—. En 1411, un siglo antes de pintarse esta tabla, en Cambrai, en la Francia más cercana a Flandes, el poderoso obispado de la región abrió un gran proceso contra esta secta. Se condenó a un carmelita de Bruselas llamado Wilhelm van Hildernissen y a su lugarteniente, un tipo llamado Aegidius Cantor, a morir en la hoguera. Gracias a esa investigación eclesiástica y a los interrogatorios a los que fueron sometidos, sabemos que los adamitas practicaban sus ritos en cavernas, se mostraban contrarios a la autoridad e indiferentes ante Roma, y esperaban la llegada inmediata del fin de los tiempos. Creían que, cuando ese momento llegara, el mundo se daría cuenta de que verdaderamente eran hijos de Adán y podrían caminar sobre la Tierra tal como Dios los creó.

—Un culto arriesgado...

—Es verdad —asiente el maestro—. Lo curioso es que de alguna manera prefigura el interés por el cuerpo humano que surge entre los artistas de ese periodo. Los adamitas espiritualizan la erótica. No ven el desnudo como una incitación a la lujuria. Al contrario: defenderán la idea de que un amor platónico, sin pulsiones carnales y universal, es posible en este planeta. ¡Fueron ideas muy avanzadas para su tiempo!

—¿Y el Bosco militó en esa secta?

—Fraenger no logra concluir nada al respecto. La biografía del Bosco es muy oscura. Se sabe que fue hijo y nieto de pintores, tal vez originarios de Aquisgrán, y que trabajó en decorar las iglesias de su entorno. Pero poco más. Sin embargo, Fraenger deduce que poseyó un conocimiento muy profundo del culto adamítico. Un saber que, según explica, sólo pudo haber obtenido de uno de los líderes supremos del culto. Un maestro. Alguien rico, con capacidad de financiar una obra de esta envergadura.

—¡Seguro que usted ya tiene algún nombre en mente!

—No hay muchos candidatos, la verdad. O se trata de un importante mercader desconocido para nosotros, o quizá alguien de la familia Orange. En tiempos recientes se ha especulado con que este tríptico pudo ser un regalo de bodas de Enrique II de Nassau a su esposa.[77] Quién sabe. Tal vez él o alguno de los regentes de los Países Bajos estuvieron implicados en el culto adamítico. El caso es que, si Fraenger tiene razón y ese mecenas fue retratado varias veces en el tríptico, puede que no esté lejos el día en el que lo identifiquemos.

—¿Cómo dice? —salto perplejo—. ¿Conocemos el rostro del líder del grupo?

—Lo que oyes. El Bosco, como era costumbre en los cuadros por encargo, incluyó a su mecenas entre la marabunta de personajes que pintó. ¿Quieres saber quién es?

Asiento. Y como un niño que anhela recibir un caramelo, sigo al maestro, que se sitúa frente al panel central del *Jardín*.

—Está justo aquí. Mira.

Fovel apunta al extremo inferior derecho de la composición. Junto a un pequeño corrillo de personas se vislumbra un accidente en el terreno, una cavidad de la que se asoman un muchacho y una mujer.

—¿Ves la caverna? —Se hace a un lado—. Como te he dicho, los adamitas las utilizaban como templos. Pero fíjate bien en el hombre que está en el interior. Tiene dos características que lo convierten en excepcional: la primera es que está vestido (sólo Dios aparece con ropa en la tabla izquierda), y la segunda, que posa descaradamente la mirada en el espectador, de nuevo igual que Dios. Fraenger cree que se trata del maestro del Espíritu Libre que encargó la pintura. Y lo cierto es que el Bosco lo retrató en la zona en la que habitualmente se firman las obras, distinguiéndolo del resto de personajes mundanos para hacerlo así reconocible a los suyos.

—¿Y no podría ser un autorretrato del pintor?

—Algunos lo creen así, pero yo lo dudo. Ese hombre no tiene actitud de pintor. Parece más interesado en enseñarnos algo que en reivindicar la obra.

El «maestro» de *El jardín de las delicias*. Tabla II (detalle).

—¿Y qué quiere enseñarnos, doctor? —murmuro con la nariz pegada a ese rincón del tríptico.

—Según Fraenger, está señalando a la «nueva Eva», una muchacha que sostiene en una mano la célebre manzana del Jardín del Edén. Pero fíjate bien en quién está detrás de él. Apoyado en su hombro, se vislumbra el rostro de otro personaje que bien podría ser, esta vez sí, el autorretrato del Bosco. Ahí aparece en la sombra, sumiso, apoyado en el hombro de su mentor.

—Hummm... Daría lo que fuese por tener al menos un retrato del Bosco con el que poder comparar ese detalle del *Jardín.*

Fovel enarcó las cejas y suspiró, quizá resignado ante la infinita ignorancia de su joven acompañante.

—Por desgracia no existe tal cosa —dijo—. El retrato más antiguo que conservamos del pintor fue realizado cinco décadas después de su muerte por un poeta y dibujante flamenco llamado Domenicus Lampsonius.[78] No puede tomarse, pues, como algo totalmente fidedigno. Sin embargo, Lampsonius lo incluyó en una serie de veintitrés retratos muy precisos de artistas de los Países Bajos, donde lo representó siendo ya un hombre mayor.

—¿Y guarda algún parecido con ese acompañante del «maestro del Espíritu Libre» de *El jardín de las delicias*?

Noté cómo mi pregunta incomodaba al maestro. Éste se acarició la nariz y la boca como si se pellizcara en busca de una respuesta adecuada.

—Bueno... Quizá Fraenger se equivocó al señalar quién es quién en la tabla. O quizá lo hizo Lampsonius. El caso es que sí existe un rasgo común entre esas figuras y el primer retrato conocido del Bosco. Apenas es un detalle...

—¿Ah, sí? ¿Cuál es?

—Como te he dicho, el hombre del grabado de Lampsonius es un anciano, pero con la mano derecha hace el mismo signo inequívoco que el maestro del Espíritu Libre. Está señalando algo.

—¿Y qué es, doctor?

—En el grabado no se sabe. Pero aquí, en la tabla, ambos hombres nos miran posando junto a esa Eva naciente que se asoma a una especie de puerta de cristal entreabierta. Parecen señalar a un tiempo a la mujer y al umbral, como si fueran la finalidad última de la composición.

—¡La herramienta!

—Exacto. —Una mueca enigmática afloró al rostro de Fovel—. El cuadro debe entenderse como una puerta. Un umbral que te traslada a una realidad trascendente. Y la mujer en actitud de descanso, semidormida, representa la llave con la que la abriremos. Como te he dicho, Fraenger creía que este tríptico se utilizó como un instrumento de meditación. A través de él, los adeptos del Espíritu Libre pudieron acceder a las grandes enseñanzas de la secta, y también a visiones de carácter místico, íntimas, a las que atribuían un tremendo valor espiritual. Mi impresión es que puerta y dama meditabunda son un jeroglífico que explica para qué sirve y cómo debe usarse este cuadro. ¿Quieres que te lea lo que Fraenger dice al respecto?

—¡Claro!

El doctor Fovel rebuscó entonces en uno de los bolsillos de su abrigo hasta que extrajo un tomo de tamaño medio y tapa oscura, manoseado, en el que sólo distinguí el nombre del sabio alemán que tanto había impactado a mi maestro. Lo abrió por una de sus marcas y leyó:

Para iniciar su propio camino espiritual, los discípulos del Espíritu Libre se situaban frente a este panel de meditación. En el momento de máxima concentración eran arrancados lentamente del mundo cotidiano y penetraban en un universo espiritual que descubrían poco a poco y que les revelaba significados cada vez más profundos. El único modo de comprender el panel era concentrarse incesantemente sobre él. El espectador se convertía así en co-creador, en intérprete autónomo de los símbolos solemnes y enigmáticos que tenía

Grabado del Bosco realizado por Domenicus Lampsonius en 1572.

delante de los ojos. La pintura no se petrificaba nunca sino que era animada de continuo por el flujo viviente del devenir, del desarrollo orgánico, de la revelación progresiva. Y todo esto, en armonía con el contenido evolucionista que constituye la estructura intelectual del tríptico.[79]

Fovel se detiene y deja que aquellas palabras calen en mí. No tardo mucho en reaccionar.

—Entonces... —busco las mejores palabras—, ¿usted sabe cómo abrir esta puerta? ¿Sabría *meterse* en el cuadro? ¿En la herramienta?

—Me temo que no —suspira por segunda vez—. Ni siquiera Fraenger lo consiguió. Cuando los bombardeos aliados de Berlín destruyeron su apartamento y sus notas, se pasó años tratando de atravesar ese umbral, sin éxito. De sus intentos sólo ha llegado la sugerencia de que el viaje se iniciaba cuando el adepto detenía la mirada en la base de la «fuente de la vida» del panel izquierdo, en el agujero ocupado por la lechuza, y se dejaba llevar a través de él. Yo lo he intentado. De veras. De hecho, llama mucho la atención que haya varias de estas aves repartidas por toda la composición, como si fueran cerraduras para una misma puerta. Y aunque su significado me resulta clarísimo, no es fácil hacerlas «funcionar».

—¿Ah, sí? ¿Qué significan las lechuzas según usted?

—Son aves capaces de ver en las tinieblas, hijo. Desde tiempos remotos encarnan el ideal de conocimiento supremo, de aquel que penetra en lo invisible. Sólo ellas se mueven con total precisión en lo oscuro. Y eso quería decir, a ojos de los antiguos, que podían atravesar los territorios de la muerte. Del más allá. Eran seres psicopompos. Conductores de almas.

—Luego estamos ante otro cuadro mediúmnico...

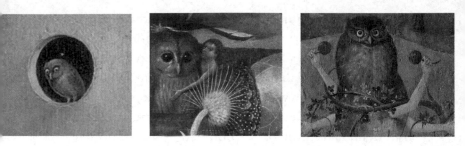

Lechuzas en *El jardín de las delicias*. Tablas I y II (detalles).

—En cierto modo, sí. Pero nos queda por determinar qué clase de medio es el que propone el artista para llegar al «otro lado», a Dios. ¿Simple meditación? ¿Drogas? ¿Tal vez la *Claviceps purpurea*, el hongo del centeno, tan popular en las bebidas de los Países Bajos? Fraenger no es nada claro al respecto, pero apostaría a que cuando la obra llegó a manos de Felipe II, a finales del siglo XVI, él y sus sabios de confianza sabían ya de su fortísima carga visionaria...

—¿Y por qué está tan seguro?

—Bueno —sonríe—, no es ningún secreto que Felipe II fue un hombre de convicciones contradictorias. Por un lado estuvo empeñado en defender a ultranza la fe católica, en extender los tribunales de la Inquisición por todas sus posesiones y en mantener a raya a protestantes y herejes como fuera. Pero por otro patrocinó experimentos alquímicos a su arquitecto Juan de Herrera, fue un ávido coleccionista de textos herméticos, mágicos y astrológicos, y hasta custodiaba junto a sus reliquias, en su guardajoyas personal, no menos de seis cuernos de unicornio.[80] Fue un hombre en el que ortodoxia y heterodoxia, fe y paganismo, se dieron continuamente la mano. Apuesto a que oyó decir algo de las propiedades visionarias del cuadro y por eso se empeñó en tenerlo cerca durante su agonía.

—¿Y eso no fue polémico? ¿Nadie cuestionó que el rey

se preocupara de un cuadro tan raro? ¿Nadie desconfió de ese artista en la corte más católica del mundo?

—¡Y tanto que sí! —exclama—. Al Bosco lo llamaron de todo. «Pintor de diablos» fue lo más suave que le dijeron. La mayoría de quienes vieron sus tablas nunca pudieron explicarse la obsesión del rey por ellas. Por suerte, no fue un artista demasiado prolijo. Sus obras son escasas: no llegan a cuarenta. Sin embargo, sabemos que Felipe II se convirtió en su mayor coleccionista. Cuando murió tenía en su poder nada menos que veintiséis cuadros pintados por él. Y la mayoría mandó colgarlos en las paredes de El Escorial. Quizá lo hizo porque el padre Sigüenza medio convenció a sus críticos de que sólo se trataba de obras satíricas. Pinturas que invitaban a meditar sobre las perversiones que acechaban al buen cristiano, y a no caer en los errores representados allí. Lo llamativo es que esa interpretación fue aceptada de modo casi unánime, sin el más mínimo sentido crítico, hasta bien entrado el siglo siguiente.

—Entonces, volviendo a la muerte del rey, doctor, ¿por qué cree que querría tener este tríptico a la vista?

El doctor Luis Fovel me observa entonces con un gesto de picardía dibujado en el rostro. Se atusa el abrigo levantándose las solapas y, mientras da media vuelta quedando de espaldas al tríptico, me estampa:

—¿Y tú? ¿Por qué crees que lo haría?

14

La familia secreta de Brueghel el Viejo

Antes de que la tarde vuele, el maestro Fovel me acompaña a otro rincón de la 56a. Por increíble que parezca, todavía no ha pasado ni un alma cerca de nosotros. Son casi las cinco de la tarde y seguimos a solas. Por prudencia, no digo nada. Él tampoco. Entonces ni se me ocurrió pensar que ya habíamos experimentado antes una circunstancia parecida. Que ambos habíamos sido los dos únicos visitantes en un museo que recibe más de dos millones de personas al año.[81] Si en ese momento hubiera tenido el tino de calcular las probabilidades que teníamos de vivir dos instantes como aquél en poco menos de un mes, me habría dado cuenta de la magnitud de lo que estaba pasando. Sin embargo, torpe de mí, iba a tardar mucho en atar semejantes cabos...

—No puedes irte sin ver esto —me dice ajeno al nudo que apelmaza mi estómago y que entonces no supe explicar. La escena a la que me conduce el doctor Fovel no mejora mi ánimo.

Apostado en el flanco izquierdo de nuestro campo visual, sobre una tabla primorosamente enmarcada de poco más de metro y medio de largo, un ejército de esqueletos parece dispuesto a entrar en combate contra unos pocos humanos que se resisten a morir. La imagen ante la que el maestro del Prado se ha detenido es en verdad extraordinaria. Las huestes de la parca han tomado posiciones y no van a replegarse. Pasean por la plaza principal con un carro rebosante de cráneos; una máquina de guerra liderada por un encapuchado siniestro que lanza llamas desde su interior avanza posiciones; cerca se adivinan esqueletos que, espada en mano, aniquilan sin piedad a hombres y mujeres; unos cuelgan a los condenados, otros les abren la garganta con cuchillos y otros los arrojan al río, donde sus cuerpos desnudos se hinchan como globos. Mudo de asombro, contemplo también una plaza fortificada que se asoma al mar. Está a rebosar de calaveras exultantes de alegría. Extramuros, el panorama tampoco deja hueco a la esperanza. Los campos de la retaguardia lucen esquilmados. Hay restos putrefactos de ganado por doquier, y el humo de varios barcos y edificios costeros no hace sino amplificar la sensación de que ésta es una escena terminal. Sin expectativas. Y lo peor: en el horizonte se adivinan nuevos ejércitos de descarnados abriéndose paso, implacables, hacia las ruinas de la civilización. Me basta un segundo para comprender que nadie va a resistir al empuje de los caídos.

El triunfo de la muerte resulta desolador. Fue pintado hacia 1562 por Pieter Brueghel el Viejo cuando nadie se había imaginado aún un «apocalipsis zombi». Faltan algo más de dos siglos para la llegada de Goya, el genio de la desazón, aunque lo que Brueghel pinta nada tiene que envidiarle. Ambos artistas fueron víctimas de su tiempo. Al flamenco, sin ir más lejos, le tocó vivir seis guerras casi ininterrumpidas entre los Habsburgo y los Valois. Y a esas luchas territoriales, iniciadas en 1515, pronto se les sumó el horror de las epidemias de peste que diezmarían a la población, sin distingo de ricos, religiosos, niños o pobres. Brueghel tenía alrededor de treinta y cinco años cuando pergeñó su pesadilla. Y esa tabla —qué ironía— no iba a tardar en resultarle profética: «el Viejo» no cumplirá los cuarenta. Como si sus

jo (1562). Museo del Prado, Madrid.

El triunfo de la muerte. Brueghel el Vi

pinceles hubieran intuido su destino, la peste se lo llevó dejándonos huérfanos de su talento.

Creo entender enseguida por qué mi interlocutor insiste en pararse frente a este paisaje. La tabla de Brueghel —al igual que sucede con el tríptico *El jardín de las delicias*— fue pintada para invitar a la reflexión. Incluso, de algún modo, podrían considerarse complementarias. Es decir: mientras que la obra del Bosco se inspira en el primer libro de la Biblia y en una lectura superficial narra el origen de nuestra especie, la de Brueghel se lee como su perfecta antítesis. Bebe del último libro de las Escrituras, el Apocalipsis de san Juan, y parece una extensión extrema del infierno del Bosco. Aquí, los grotescos horrores del *Jardín* nos muestran su verdadera cara, exhibiéndose en toda su crudeza.

Ensimismado, recuerdo que estoy ante una versión mejorada de las *Totentanz*, las «Danzas de la Muerte», un género pictórico muy popular en la Centroeuropa del «viejo» pintor. Pero justo cuando me dispongo a abrir la boca para expresar esa idea al maestro Fovel, el doctor me cambia el paso:

—Quiero plantearte un enigma, hijo —dice muy serio—. ¿Estás preparado?

Sus palabras me arrancan de la imagen. Lo miro algo desconcertado, pero me dejo hacer.

—¿Qué clase de enigma, doctor?

—Tiene que ver con algo de lo que no hemos hablado aún. Se llama el arte de la memoria y es una disciplina de la que espero sacarás gran provecho cuando, en adelante, entres en un museo de pintura.

—Estoy listo —asiento intrigado.

—Lo primero que debes saber es que ese arte fue privilegio de intelectuales, nobles y artistas hasta la llegada de la imprenta en el Renacimiento. En consecuencia, muy poca gente ha oído hablar de él. Después, con la popularización de los tipos móviles y el acceso de una gran parte de la población a la letra impresa, se olvidó. Y con ello se perdió la capacidad que un día tuvimos de leer en imágenes.

—¿Leer en imágenes? —repito con cierto escepticismo.

—Me refiero a leer literalmente en imágenes. No a interpretar, como hacemos hoy, un símbolo o un gesto, como cuando vemos una cruz sobre una torre y sabemos que allí hay una iglesia. El arte de la memoria, hijo, lo inventaron los griegos en los tiempos de Homero, cuando se vieron ante la necesidad de recordar grandes cantidades de texto que no podían inscribir en piedra. En realidad, se trata de la más fabulosa construcción mnemotécnica inventada por el ser humano. Una disciplina que sirvió durante siglos para recordar desde saberes científicos hasta relatos literarios, y que consiste, a grandes rasgos, en asociar imágenes, paisajes e incluso estatuas o edificios a conocimientos que después sólo podrían ser recuperados y reproducidos por la élite que conociera ese código.

—¿Y una técnica así se usó hace más de dos mil años?

—Así es. Incluso puede que antes —resopla—. Ignoramos cómo aquellos sabios de la Grecia clásica descubrieron que la memoria humana es capaz de retener montañas de información, y que ésta podía recuperarse a voluntad si se asociaba a iconos o a expresiones geométricas, arquitectónicas y artísticas más o menos fuera de lo común. Así lo recogieron en viejos tratados como la *Rhetorica ad Herennium*, atribuida nada menos que a Cicerón, donde explicaron que si se nos adiestra para, por ejemplo, vincular conocimientos médicos a la estructura de un edificio o a una determinada estatua o pintura, nos bastará con evocar esas obras mentalmente para, de forma automática, recordar la materia teórica con la que las asociamos. ¿Lo comprendes?

Asiento. El maestro continúa:

—Entonces no te resultará difícil entender que su desarrollo y perfeccionamiento fuera un secreto muy bien guardado que pasó de civilización en civilización, ya que permitía comunicar mensajes y saberes complejos ante los ojos de los no iniciados...

—A ver si lo he entendido: si yo, por ejemplo, vinculo mentalmente uno de los esqueletos de este cuadro a una fórmula matemática, cada vez que lo vea o lo rescate de mis recuerdos, no importa el tiempo que pase, recordaré también esa fórmula. Y si transmito esa asociación de imágenes a un tercero, cada vez que él se encuentre con ese esqueleto recordará igualmente la dichosa fórmula.

—Funciona más o menos así, en efecto —concede complacido—. Ahora bien: debes saber que los últimos practicantes de ese arte vivieron en el tiempo en el que Brueghel pintó *El triunfo de la muerte*. Como te he dicho, con la aparición de la imprenta el arte de la memoria perdió buena parte de su sentido. Ya nadie necesitaba «almacenar» grandes cantidades de información en imágenes, ni «escribir» usándolas, salvo...

—¿Salvo qué?

—Salvo que alguien necesitara desarrollar un código gráfico con el que proteger un saber al que sólo debían acceder unos pocos.

—Pero ¿quién iba a necesitar algo así?

—Oh. Se me ocurren muchos. Los alquimistas, por ejemplo. ¿Te has fijado alguna vez en uno de sus tratados? ¿Has visto el *Mutus Liber*, el Libro Mudo, por ejemplo? Es un manual de alquimia que no contiene una sola palabra impresa. Sólo imágenes... ¡llenas de información encriptada! Y se entiende. Al trabajar con un asunto que despertaba tanta codicia como el de la transmutación de los metales, los practicantes del «arte sagrado» crearon todo un universo de imágenes y emblemas exóticos en los que depositaron sus secretos. Por descontado, sus diseños resultaban absurdos a ojos de los no iniciados. Un león devorando al Sol, un ave fénix surgiendo de sus cenizas, un dragón de tres cabezas o una criatura mitad hombre mitad mujer transmitían en realidad fórmulas químicas complejas e instrucciones, cantidades y elementos para fabricar sus compuestos.

—Hummm... —mascullo—. Supongo que tomaron esas precauciones sobre todo de cara a la Inquisición. Aunque, que yo sepa, Brueghel no fue un alquimista. ¿O me equivoco?

El maestro arruga la frente como cada vez que uno de mis comentarios le divierte, y se apresura a responder:

—No seas inocente, Javier. ¿Qué pintor no lo fue? ¿Acaso no figuraba entre las tareas de todo buen artista hacerse él mismo las mezclas de colores o experimentar en busca de texturas y tonos nuevos? ¿No era ésa una de las señas de identidad que diferenciaba a unos maestros de otros? ¿Y no se asemeja eso al trabajo que presumimos en los alquimistas? Por otra parte —carraspea—, Brueghel demostró que conocía bien ese oficio y sus penurias retratándolo en uno de sus grabados más populares. En él muestra el laboratorio de un hombre que gasta hasta su última moneda en lograr la piedra filosofal, mientras un loco le aviva la lumbre y su esposa no tiene con qué dar de comer a sus hijos.

—Me parece un indicio un tanto pobre, maestro —replico.

—Quizá. Naturalmente, existen algunos otros. Recuerdo por ejemplo una carta de Jan, el hijo mayor de Brueghel, fechada en 1609 y dirigida al cardenal Federico Borromeo. En ella se quejaba de cómo el afán coleccionista de Rodolfo II de Baviera lo había dejado sin cuadros de su padre. Y si por algo se conoció a Rodolfo II fue por su protección de

El alquimista. Brueghel el Viejo (1558). Kupferstichkabinett, Berlín.

las ciencias ocultas. Todos lo llamaron «el emperador alquimista», así que ya puedes imaginarte por qué sintió esa pasión por el pintor.

—¿Sólo por Brueghel?

—Oh, no, no. También por el Bosco. Lo que no te he dicho es que Rodolfo II era sobrino de Felipe II. Y fue el rey de España, también coleccionista de Boscos y Brueghels, quien lo educó entre los ocho y los dieciséis años, en El Escorial.

—Ajá. Y supongo que de anécdotas como ésta usted infiere que el maestro Brueghel, todo un alquimista enmascarado, conocía y practicaba el arte de la memoria. Es eso, ¿no?

Fovel asiente:

—Es obvio. Aunque no sólo los alquimistas utilizaron esa técnica, hijo. También los practicantes de cultos heterodoxos se hicieron maestros en el arte de disfrazar sus ideas tras imágenes aparentemente católicas. Como este *Triunfo de la muerte*, por cierto.

—¿Y puedo preguntarle qué fue exactamente lo que Brueghel quiso ocultarnos aquí?

—¡Lo mismo que el Bosco! —responde.

—¿Cómo? —me sobresalto—. ¿También él perteneció a los Hermanos del Espíritu Libre? ¿Fue un adamita?

—Más o menos, hijo. Lo que algunos historiadores del arte creen es que Brueghel el Viejo, como el Bosco, formó parte de un culto milenario secreto que también esperaba la inminente llegada del final de los tiempos.[82] De hecho, se delató al pintar *El triunfo de la muerte*.

—¡Pero Brueghel hizo otros muchos cuadros con temas muy diferentes a éste! —protesto—. Obras llenas de vitalidad. Que reflejan las costumbres de su pueblo, las fiestas, las borracheras...

—Es cierto, es cierto —dice agitando sus grandes manos ante mi rostro—. Brueghel pintaba todo aquello por lo que le pagaban. Aunque puedo asegurarte que, para él, este cuadro no fue uno más. Como sucede con *El jardín de las delicias*, no disponemos de un solo documento o indicio que nos diga quién se lo pidió. Ni tampoco por qué en 1562 ejecutó otras dos tablas de idéntico tamaño, con los mismos tonos de color y temas apocalípticos, como *Dulle Griet** y *La caída de los ángeles rebeldes*. Algunos han supuesto que las tres obras estuvieron destinadas a una misma estancia, pero es imposible de demostrar. No obstante, sí puedo demostrarte que este cuadro fue clave para Brueghel. Tenía algo que lo hacía diferente. Único.

—¿Ah, sí?

—En la única biografía contemporánea que existe del pintor, publicada en una fecha tan temprana como 1603 por Karel van Mander,[83] se dice que Brueghel siempre consideró *El triunfo de la muerte* su obra maestra. Es más, esta tabla se hizo tan famosa en su tiempo que sus hijos la copiaron una y otra vez, incluso años después de muerto el «viejo» patriarca. Y eso no sucedió con esos otros cuadros alegres que mencionabas.

—*Touché*, doctor —admito—, pero no veo adónde nos lleva su argumento...

—¡Abre los oídos, hijo! *El triunfo de la muerte* no fue una obra más en su carrera. En los años treinta de este siglo, el prestigioso historiador del arte húngaro Charles de Tolnay, una de las grandes autoridades mundiales en arte flamenco, sugirió que Brueghel debió de formar parte de alguna oscura secta cristiana.[84] Tolnay, sin más pistas que su fino instinto, lo calificó de «libertino religioso», y dejó abierta la puerta a posteriores investigaciones.

* Conocida también como «Greta la loca» o «la loca Meg».

—¿Y..., y qué se ha concluido? —pregunto intrigado.

—Bien. —Fovel toma aire—. Escucha. Al parecer, Brueghel fue un hombre muy bien relacionado en su tiempo, con amigos en los estratos más altos de la intelectualidad de su época. Parece que, tras un largo viaje de formación por Francia e Italia, típico entre los pintores de su época, se ganó la amistad del cartógrafo Abraham Ortelius, un discípulo del genial Mercator y autor del primer atlas mundial de la Historia, impreso en 1570. También frecuentó al humanista Justo Lipsio, al que retrataron Rubens y Van Dyck. Y al orientalista Andreas Masius. Y al impresor más importante de su tiempo, Cristóbal Plantino, y hasta al bibliotecario de Felipe II, un muy erudito sacerdote llamado Benito Arias Montano, que en esa época estaba en Amberes negociando con Plantino para que imprimiese una nueva Biblia políglota, la llamada *Biblia regia*. Montano estuvo varios años en los Países Bajos al frente de ese colosal proyecto del que se había encaprichado el rey de España, viajando por media Europa al tiempo que contagiaba a un puñado de pintores selectos con sus ideas poco ortodoxas.

—¿Y todos se conocían?

—En efecto —asiente—. Y fue gracias a que militaron discretamente en una misma secta, de cuya existencia no caben dudas: la *Familia Charitatis*, también conocida como la Familia del Amor. Fue fundada por un convincente comerciante holandés llamado Hendrik Niclaes hacia 1540, y dejó una huella importante en las élites centroeuropeas de ese tiempo.

—Dios santo —murmuro—. ¿Y en qué creía esa gente?

—De entrada, los familistas, que era como los llamaban sus enemigos, estaban seguros de que el fin del mundo era inminente. Aceptaban que sólo Cristo podría salvarlos, pero se mostraban recelosos de la Iglesia católica, a la que consideraban pervertida y corrupta. Su idea fundamental era la creencia de que en la noche de los tiempos el ser humano fue uno con Dios; sin embargo, perdió esa cualidad cuando Adán comió de la fruta prohibida. Para Niclaes, ni con aquel pecado perdimos nuestro brillo divino, así que enseñaba a quien quisiera escucharlo que todos tenemos en nuestro interior la capacidad de comunicarnos directamente con el Padre eterno. Niclaes escribió cincuenta y un libros para desarrollar estas tesis. En ellos se pueden encontrar todo tipo de métodos, instrucciones e ideas para afrontar lo que llamaba «la última era del tiempo». Todos los firmó con las siglas H. N.

—Hendrik Niclaes... —apostillo.

—No tan deprisa, hijo —me frena el doctor—. Si Niclaes se escondió tras esas siglas fue para protegerse de las persecuciones del Santo Oficio. Y no era para menos. Decía que sus textos eran la «última llamada» para que cristianos, musulmanes, judíos y seguidores de todas las religiones del mundo se unieran en una sola fe, con él como mesías. Y cuando eso ocurriera, recordaríamos que todos somos hijos de Adán, hechos a imagen y semejanza del Creador.

—Y ahora no irá a decirme que ese tal Niclaes tuvo algo que ver con los adamitas del Bosco, ¿verdad?

La cara de Fovel se iluminó.

—El propósito final de la fe de Niclaes era el retorno al paraíso, hijo. Los familistas querían devolvernos a nuestro estadio primordial de hijos de Adán para poder dirigirnos otra vez, cara a cara, a Dios. Promulgaban la aparición del *Homo Novus.* El *H. N.* Y eso, entre otras cosas, implicaría el regreso a la desnudez que vimos en *El jardín de las delicias...* Como ves, ninguna de esas ideas anda lejos del credo de los Hermanos del Espíritu Libre.[85]

—Entonces —interrumpo perplejo—, ¿es seguro que Brueghel fue un... familista?

—¡Oh! ¡Desde luego! Tan seguro como que el «Viejo» ilustró incluso uno de los tratados de Niclaes. Se trata del *Terra Pacis*, un texto en el que narra en forma alegórica su viaje desde la Tierra de la Ignorancia hasta la de la Paz Espiritual. De hecho, los temas que más preocuparon al pintor y que encontramos reiteradamente en su obra (muerte, juicio, pecado, eternidad o rechazo a las ataduras religiosas) fueron también los favoritos de Niclaes. ¡No hay duda!

El maestro se detiene otra vez a tomar aire. Tengo la impresión de que se toma todo este asunto muy en serio. A continuación, con cierta solemnidad, me explica que el tal Hendrik Niclaes tuvo que ser un personaje muy parecido a los profetas de los que me había hablado en relación con Rafael o Tiziano. Que el origen de su pensamiento era el mismo que el de Joaquín de Fiore o el de Savonarola: ¡sus trances! Y que, aunque Niclaes había experimentado sus primeras visiones a los nueve años, no sería hasta tres décadas más tarde cuando decidió fundar su propio reducto de fieles. Dada su holgada posición social y económica, intimó con intelectuales y personas influyentes y llegó a convencerlos de que él era una suerte de «ministro mesiánico» [sic] enviado a la Tierra para continuar con la labor de Cristo. Niclaes tenía —también como De Fiore o Savonarola— una respuesta para cada pregunta y una interpretación para cada acontecimiento de su época. Contó con seguidores en París, pero sobre todo en Londres, donde sus libros continuarían imprimiéndose hasta un siglo después de su muerte bajo el nombre de Henry Nicholis.

—¿Y en qué influyó exactamente Hendrik Niclaes en *El triunfo de la muerte*, si puedo preguntarle? —le interrumpo.

—¡Oh! —sonríe Fovel, como cayendo en la cuenta de lo

extenso de aquella digresión—. Claro. Si conoces el credo familista, esta tabla adquiere un sentido un tanto... especial. Verás: si *El triunfo de la muerte* fue la obra favorita de Brueghel y él militó en la secta de Niclaes, lo lógico sería que el cuadro reflejara el relato apocalíptico del fin del mundo tal y como el pintor lo había escuchado de boca de su líder. Esto es, como el fin de una era y el inicio de otra.

—Pero aquí yo sólo veo fin...

—¡Precisamente eso es lo que parece!

—Entonces...

—Brueghel engaña al espectador no iniciado en su culto con un cuadro sin atisbo de esperanza. Ejércitos de cadáveres se dirigen hacia la última ciudad del planeta para devastarla. Parece que aquí no cabe el anhelo de una vida mejor. ¿Te has dado cuenta de cuál es todo el empeño de los esqueletos?

Vuelvo a posar los ojos en la pintura, intentando darle un sentido al caos que se despliega ante mí.

—¿Empeño?

—Sí, hijo. Parece que la única obsesión de esa tropa es empujar a los mortales al interior del enorme contenedor que se abre a la derecha del panel. Es una clara metáfora de las puertas del infierno. La representación de un umbral al más allá. Sólo que, a diferencia del que anhelaba Felipe II tras *El jardín de las delicias* y que conducía a la gloria, en éste sólo intuimos confusión y horror al otro lado.

—No... No lo entiendo —murmuro.

Fovel se encoge de hombros, disponiéndose para una explicación más detallada.

—¿Sabes, hijo? Durante años he tratado de resolver la contradicción aparente que encierra esta pintura, hasta que caí en la cuenta de que el artista tuvo que cuidarse mucho de dejar pistas evidentes de su fe. Niclaes fue perseguido por la Inquisición. Sus obras se incluyeron en el *Índice de libros prohibidos*. No era para tomárselo a broma. Pero si Brueghel estaba iniciado en una fe secreta que defendía la existencia de una vida superior, ¿cómo pudo pintar un cuadro como *El triunfo de la muerte*? ¿Y por qué consideraría una obra así como su preferida? Esta tabla tenía que esconder algo que se me escapaba. Un secreto. Una imagen oculta. Lo que fuera.

—¿Y la ha encontrado?

—¡Sí!

—¿Sí?

—Dime, ¿oíste alguna vez hablar del *Alfabeto de la Muerte*? Debí de mirar a mi interlocutor con cara de estúpido.

—Ya veo. —Mi guía chasca la lengua con desdén, mientras posa la mirada en un cuadrante de la tabla de Brueghel—. Espero que tomes nota de esto. Verás: unos años antes de ejecutarse esta pintura, Hans Holbein el Joven, notable pintor muy amigo de Erasmo de Rotterdam y tenido en alta estima por el círculo de intelectuales que rodeaba a Niclaes, elaboró una serie de veinticuatro letras mayúsculas para imprenta, de 25 × 25 mm, adornadas con esqueletos. Holbein llevó a cabo en ellas algo aparentemente horrible: trazó cada una de las capitulares rodeada de «soldados de la muerte», muy parecidos a los que más tarde pintaría Brueghel. Daban la impresión de ser criaturas sin alma que disfrutaban cazando humanos para llevárselos a la tumba. Así, su A mayúscula se trenzaba con dos esqueletos músicos que parecían dar por inaugurada la eterna Danza de la Muerte; tras ellos, otros perseguían a damiselas o bebés, e incluso galopaban en pos de sus víctimas hasta desembocar en una Z con Cristo en Majestad señoreando a los salvados en el Juicio Final.

—¡Ah, una tipografía!

—Fue mucho más que eso. O eso comprendí.

Fovel dejó aquel último matiz flotando en el aire.

—¿Qué comprendió, maestro?

—Que Brueghel no se inspiró en Holbein para sus esqueletos, sino que utilizó deliberadamente algunos de ellos en su pintura. Es como si los hubiera calcado, llevando hasta el límite ese viejo precepto del arte de la memoria de que realmente se puede escribir con imágenes. ¿Lo entiendes ya?

Pero yo arqueo las cejas incrédulo, para su desesperación.

—¡Por todos los diablos, hijo! Al tomar imágenes de esa tipografía y adaptarlas a esta tabla, Brueghel introdujo subrepticiamente letras en el cuadro. ¡Escribió un mensaje con los mismos esqueletos de Holbein! ¡Usó el arte de la memoria! ¡Te lo demostraré!

Del mismo bolsillo del abrigo del que antes había extraído el libro del Bosco, Fovel sacó un pliego de papel con toda la serie tipográfica de Holbein. La desplegó ante mí invitándome a que la contemplara con suma atención.

—Ahora fíjate bien en la letra A —ordena—. ¿Distingues la pareja de esqueletos que tocan la trompeta y los timbales? Caminan sobre un paisaje sembrado de cráneos, en el que apenas se distingue nada más. Y ahora, por favor, presta atención a la tabla de Brueghel. ¿Dónde ves una escena parecida a ésta?

Me froto los ojos y los fijo en el cuadro. Tardo poco más de un minuto en rastrear los pequeños grupos de calaveras que se ven en el horizonte, pensando que lo que me pide el maestro estará escondido en sus miniaturas. Pero qué error. En lontananza no hay ni rastro de esqueletos músicos; tan sólo lanceros, profanadores de tumbas, verdugos y dos tañedores de campana. Sin embargo, al posar mi mirada en los cadáveres del primer plano, tropiezo con algo. Un esqueleto arranca música a su laúd junto a una pareja de ena-

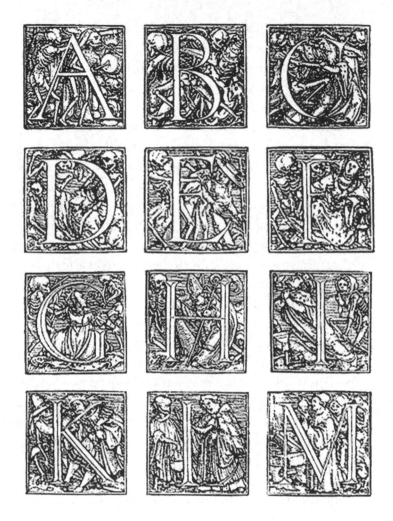

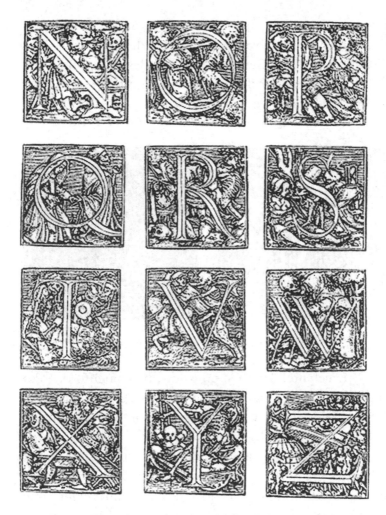

Alfabeto de la Muerte. Hans Holbein (ca. 1538).

morados que retoza, ajena a la muerte, en la esquina inferior derecha de la tabla. Otro, más acorde con la tipografía de Holbein, golpea frenético dos timbales justo sobre el techo del «contenedor del infierno»; al fondo, el suelo pavimentado de cráneos evoca el alfabeto.

—¿Es ése? —titubeo.

Letra A del alfabeto de Holbein y detalle de *El triunfo de la muerte*.

—¡Excelente! Ahora supón por un momento que esa imagen enmascara una letra A. Déjala ahí, gravitando sobre la boca del infierno, y sigue buscando similitudes entre el alfabeto y la pintura. ¿Qué más ves?

Papel en mano, como quien juega a una versión oscura de *¿Dónde está Wally?*, comienzo a rastrear la tabla con todos los sentidos puestos en ella. Me cuesta un mundo localizar nuevos paralelismos en aquel caos, y los que encuentro no me parecen absolutos. De tanto en tanto dibujo círculos en el aire cerca de algunas figuras, mirando de reojo si el maestro asiente o no. Y a todos va negando hasta que, en el cuarto o quinto intento, me detengo en la figura que señala casi el centro geométrico de la composición. Se trata de un caballo famélico montado por un furioso esqueleto que con sus brazos trata de impulsar una guadaña gigantesca.

—El jinete —susurra Fovel—. Ése sí. ¿Te has fijado en que también está en la letra V?

Echo un vistazo al papel. Por un momento, dudo. El caballo de Brueghel sólo sostiene al jinete de ultratumba. Aunque es cierto que tanto su gesto de fiereza como su escasa cabellera al viento, su macabra sonrisa horizontal e incluso la actitud del jamelgo dejan poco lugar a dudas sobre el paralelismo entre ambas imágenes.

Letra V del alfabeto de Holbein y detalle de *El triunfo de la muerte*.

—Ya tienes otra letra. ¡Sigue! Hay más.

De repente, aquello se convierte en un juego adictivo. Minuto a minuto, mi cerebro se va familiarizando con los personajes que transitan por el alfabeto de la muerte, al tiempo que los descubro a todos en la composición de Brueghel. Localizo al soldado combatiendo con la parca que podría encarnar la letra P. O al cardenal al que un esqueleto sujeta por la espalda en la letra E, y que en la pintura aparece representado de forma muy parecida. Sin embargo, por alguna razón, el maestro me pide que redoble mis esfuerzos de identificación alrededor de la masa de personajes que se dirige hacia el arcón del infierno. «La clave que buscamos está necesariamente ahí», me susurra al oído.

«Aunque haya otras, ése es el segmento más importante del cuadro. Ahí están los últimos hombres vivos de la Tierra.» Y así lo hago. Después de unos minutos, me quedo con dos sorprendentes analogías: una es un personaje con la cabeza cubierta y el rostro vuelto al cielo pidiendo clemencia, que el maestro identifica con la letra I. Y la otra, que yo tardo en relacionar, es un esqueleto que vierte un líquido de una extravagante cantimplora metálica, y que Fovel conecta con la letra T de Holbein.

Letras I y T del alfabeto de Holbein y detalles de *El triunfo de la muerte*.

—¿Qué tenemos, pues? —sonríe satisfecho el maestro.
—Cuatro letras: A, V, I, T.

—¿Y te dicen algo?

Estrujo mi memoria en busca del algún poso del latín del bachillerato y apenas acierto a murmurar un par de soluciones que hacen reír al maestro.

—No, hijo. No es una mención a aves o a abuelos. Piensa: has encontrado cuatro letras que rodean por todos sus flancos a los últimos humanos. Gentes que son conducidas al infierno, sin esperanza. Pero ¿y si Brueghel hubiera disimulado en esas cuatro letras el secreto de su fe? ¿Y si justo en el espacio de mayor desolación, en el punto de su obra con el que el espectador, cualquier espectador, podría sentirse más identificado, estuviera gritándonos su remedio?

Contemplo atónito al maestro. De repente ha vuelto el rostro hacia mí como si quisiera anclar sus ojos en los míos. Su mirada está encendida. Adivino en sus labios un temblor sutil, casi imperceptible, que anuncia que lo que está a punto de decir es importante.

—Hijo: si juegas con las letras y las ordenas empezando por el caballo, siguiendo por el hombre que implora y luego acudes al esqueleto que lo derrama todo para ascender hasta el que toca la música, descubrirás qué quiero decirte.

—V, I, T, A —deletreo atónito—. ¡Por todos los diablos! *Vita!* ¡Vida!

—¿Y qué me dices de la orientación de las letras? La vida viene del cielo a la tierra, de arriba abajo, y desde abajo regresa otra vez a las alturas. Exactamente como este juego de letras. ¿No es una lección hermosa? ¿No es una promesa profética perfecta? Tras el dolor y el terror de la muerte se esconde... ¡más vida!

Me quedo sin saber qué decir. Mudo. Perplejo. Incapaz de valorar sus conclusiones o de aceptar la lección de «arte oscuro» que acaba de brindarme. Y el maestro, consciente de que ha saturado por completo mis entendederas, me palmea la espalda con cierta conmiseración.

—Eres joven aún —dice, súbitamente cansado por el esfuerzo—. La muerte todavía no te preocupa. Pero cuando dentro de unos años lo haga, querrás saber más de esta vieja enseñanza.

—¿Saber más? ¿Es que hay más pinturas con mensajes «escritos»?

Fovel se recompone, removiéndose bajo su abrigo.

—Las hay. Por todas partes.

15

La «otra humanidad» del Greco

Creo que nunca había recorrido el Museo del Prado con tantas dudas en la recámara como aquella tarde. El instinto me abocaba a tratar de retener los pequeños detalles de los cuadros que dejábamos atrás, pero fue un empeño vano. De nuevo la cabeza estaba a punto de estallarme.

Arrastrado por un cada vez más impetuoso doctor Fovel, recorrimos en un suspiro la distancia que separaba la sala de los Boscos de la de los Grecos en el piso superior. Yo no sabía a dónde me llevaba esta vez, pero, cuando vi que apretaba el paso hacia la colección de figuras anormalmente alargadas de Doménikos Theotokópoulos, me invadió una extraña desazón. Si ése era nuestro destino, el salto discursivo al que iba a asistir sería mayúsculo. ¿O es que el maestro había descubierto algún trazo sutil que conectaba a los pintores flamencos con aquel exótico griego afincado en Toledo, al que siempre se consideró que fue «por libre»?

No iba a tardar en averiguarlo.

El lugar al que me guiaba no era una sola habitación, sino tres dispuestas longitudinalmente en el ala este del edificio. A las puertas de ese santuario, a pocos pasos de *Las meninas* o de *Los borrachos* de Velázquez, me llamó la atención que el maestro titubease antes de entrar. Cauto, miró a uno y otro lado del recinto, en actitud inquisitiva, para atravesarlo después sin decir palabra.

Fovel se detuvo a un paso del tenebroso *Pentecostés* del Greco y, como si dudara en prevenirme de algo, musitó un nuevo «¿Estás preparado?» que terminó por descolocarme. «¿Preparado?» Asentí, claro. Y él debió de sobrevalorar mi seguridad, porque de inmediato desahogó lo que llevaba dentro:

—¿Sabes, hijo? Es una lástima que el cuadro que demuestra lo que voy a revelarte no esté todavía aquí colgado, sino en el monasterio de El Escorial. Deberías ir a verlo un día de éstos.

—¿Es un... Greco? —pregunté ingenuamente con *La Resurrección* mirándome desde el fondo.

—Desde luego que lo es. Pero no uno cualquiera. Se trata de la obra que para muchos críticos de arte demuestra que este genio entre los genios admiró e imitó las pinturas contemplativas de Brueghel y del Bosco que te acabo de mostrar.

—Pero usted nunca les ha hecho mucho caso a los críticos, maestro.

—Es cierto —asintió—. Para mí el cuadro del que te quiero hablar es, en primer lugar, la prueba de algo mucho más profundo. Algo sin lo cual la comprensión de estas obras que nos rodean sería incompleta y equívoca. El dato que pone en evidencia que Doménikos Theotokópoulos, ese al que en la corte de Felipe II llamaban «el griego», fue un miembro destacado de la confraternidad apocalíptica de la *Familia Charitatis*. Otro artista para el que las pinturas no eran sino depósitos de un credo revolucionario que profetizaba la llegada de una humanidad nueva y, sobre todo, una vía directa de comunicación con lo invisible. El Greco, no lo olvides, fue místico antes que pintor.

—Pero ¿qué obra es ésa? —pregunto con la curiosidad desatada por semejante revelación.

—En El Escorial todos la llaman *El sueño de Felipe II.*

El sueño de Felipe II. El Greco (ca. 1577). Monasterio de El Escorial, Madrid.

A diferencia de los Boscos, todavía está en el lugar que le asignó el Rey Prudente. Pero no la juzgues por ese nombre. Ya hemos hablado de lo que pasa con los títulos de los cuadros: ¡casi ninguno fue puesto por su creador!

—Me gustan los cuadros de muchos nombres... —dije. Al lado de aquel hombre había aprendido que, cuantas más denominaciones tuviera un cuadro, más arcanos escondía.

—Pues éste se lleva la palma. Lo llaman desde *Adoración del nombre de Jesús*, porque en la parte superior se ve el anagrama *IHS* de forma preeminente, hasta *Alegoría de la Liga Santa*, porque en la parte inferior se incluyen los retratos de los principales aliados del rey contra los turcos en la célebre batalla de Lepanto: el papa Pío V, el dogo de Venecia y Juan de Austria. Pero ninguno de ellos me parece el adecuado. Mi título favorito, como comprenderás enseguida, es el que le dieron los monjes de El Escorial nada más verlo: *La Gloria del Greco*.

—¿*La... Gloria*? ¿Como la de Tiziano?

—Exacto, hijo. —Sonrió de oreja a oreja—. Y es importante que sepas por qué.

El maestro Fovel me desgranó entonces una historia fascinante. Aunque esa pintura no está fechada y tampoco existe contrato o documento contemporáneo alguno que ayude a situarla en el tiempo, para muchos especialistas ese cuadro fue pintado por el Greco nada más llegar a Madrid, hacia 1577. De hecho, según el maestro, fue el primero que pintó en España. Doménikos había tenido una aceptación desigual en Italia, donde se empapó de la pintura veneciana de Tiziano, Tintoretto y Correggio, e incluso se dejó marcar por las pinturas de vejez del gran Miguel Ángel. Pero pasada la barrera de los treinta, empezó a ambicionar metas más altas. «Fue entonces», me dijo Fovel de modo teatral, «cuando le sonrió el destino». Nadie sabe cómo ocurrió exactamente, pero el maestro del Prado estaba seguro de que el griego se tropezó en Roma con un cabizbajo Benito Arias Montano que —como si hubiera sido puesto en su camino por la divina providencia— enseguida se convertiría en su mentor. El futuro bibliotecario de El Escorial se había instalado en la Ciudad Eterna en 1576 para convencer a las autoridades pontificias de que autorizasen su proyecto de la *Biblia regia*. Arias Montano ya era un miembro destacado de la *Familia Charitatis* y tanto para él como para los correligionarios agrupados alrededor del impresor Plantino era vital recibir ese refrendo. De obtenerlo, su idea de la *unio cristiana*, de fusión de todas las iglesias, los acercaría al objetivo secreto de Hendrik Niclaes de presentarse como el mesías de la Nueva Humanidad. Pero algo falló. En España, doctores de la Universidad de Salamanca consideraron sospechosas sus traducciones del texto y más aún que Arias Montano citara como fuente respetable el Talmud de los judíos. Esos recelos contagiaron al entorno del papa, y éste desbarató sus planes.

Fue, pues, justo entonces cuando Arias Montano conoció al Greco. Seguramente se encontraron en el círculo que ambos frecuentaban, a saber: el entorno del cardenal Alejandro Farnesio, mecenas de Doménikos. Allí el Greco había intimado con su bibliotecario, Fulvio Orsini, y éste bien pudo ser quien le presentara a Arias Montano. Lo demás se dio de modo natural. El español vio sus pinturas y lo persuadió para que viajase a Madrid a trabajar en la ambiciosa decoración del monasterio de El Escorial. Era la época en la que Felipe II estaba obsesionado con el programa pictórico de su gran obra, y toda ayuda era poca.

A finales de 1576 o principios de 1577, recién llegado a España y deseoso de ganarse el favor del monarca, el Greco pintó su *Gloria*.

—No es difícil imaginar a Doménikos paseando solo

por el monasterio, sin nadie con quien hablar en griego salvo Arias Montano, y contemplando los cuadros favoritos del rey —especula Fovel—. En las estancias reales colgaban algunos Boscos y, por supuesto, *El triunfo de la muerte* de Brueghel. Estoy casi seguro de que Montano, un familista notable, le enseñó cómo interpretarlo, pidiéndole al Greco que pintase su versión correspondiente.

—Y así entró en la corte...

—Más o menos, hijo. Su *Gloria*, desde luego, no pasó inadvertida. Pero según fray José de Sigüenza, el cronista del monasterio, la pintura no gustó al rey. O, para ser más preciso, «no contentó a su majestad». Y eso que en ella se desplegaban los iconos que más le complacían: una manifestación sobrenatural sobre la cabeza del monarca, como apoyándolo desde el más allá; una división clara entre justos y pecadores, y hasta un Leviatán ciclópeo, un monstruo devorador de almas pecaminosas, muy del estilo de los pintores flamencos.

—Y seguramente de alguien más, doctor —le acoté.

El maestro alzó una ceja:

—¿Alguien más? ¿Qué quieres decir?

Hubo un segundo de silencio incómodo. Justo el que empleé en valorar si sería prudente introducir en nuestra conversación un apunte más. Uno que parecía muy lejano al «plan didáctico» de Fovel. Pero arriesgué.

—Hablo de los antiguos egipcios, doctor —dije al fin.

—¿Egipcios?

—Me interesa mucho el antiguo Egipto. Y también conozco el cuadro al que se refiere. Debe de ser uno de los más famosos del Greco. El caso es que veo algo común: ese concepto del monstruo que devora a los pecadores a espaldas del rey aparece a menudo en textos religiosos de los faraones... ¡desde hace al menos treinta siglos!

Fovel me regaló una mirada expectante. No me desdijo. Ni me mandó callar. Al contrario: mostró curiosidad. Después de un buen rato recibiendo sus lecciones, percibir su sorpresa fue como un pequeño triunfo para mí. No se esperaba —porque en nuestras conversaciones nunca había salido el tema— que una de mis pasiones fuera la vieja cultura de las pirámides.[86]

—No ponga esa cara, doctor —sonreí—. En el *Libro de los muertos*, que tiene no menos de 3.500 años, se muestra una escena que prefigura exactamente ese monstruo. Se dibujaban en rollos de pergamino que solían colocarse bajo la cabeza de los difuntos, a modo de «mapa del más allá». No existen dos exactamente iguales. Pero ¿sabe qué? Una de las escenas que se repiten siempre en esos textos para los muertos es la del Leviatán. No falta nunca.

—Ahora que lo dices —se mesó la barbilla—, ese monstruo no parece bíblico...

—No lo es. Pero me llama mucho la atención que incluso en ese cuadro del siglo XVI esté asociado a la idea de un juicio final de los muertos. Los egipcios «inventaron» la idea de ese tribunal de almas mucho antes de que judíos o cristianos empezaran a hablar de ello. En Egipto pintaban a ese monstruo en medio de las pruebas que debía afrontar el faraón al cruzar el camino que va de la vida terrenal a la vida eterna. Era testigo de cómo el dios con cabeza de chacal, Anubis, colocaba en una balanza el alma del faraón y decidía si albergaba o no pecado. Si su veredicto era afirmativo, entonces sus enormes fauces se abrían y lo engullían, privándole de la vida eterna. Para los egipcios no había nada más temible en el universo que Ammit, el devorador de almas.

Fovel parecía encantado con mi discurso. Tanto que no dudó en pedirme detalles.

—¿Y cómo es que entre los egipcios y el Greco nadie pintó a ese Ammit?

—Eso no es exactamente así, doctor. Los constructores de catedrales góticas incluyeron la escena del «pesaje del alma» en muchas de sus fachadas. A un lado de la balanza colocaban a los salvados, y al otro a los condenados. De hecho, si recuerda *La Gloria del Greco*, los bienaventurados están a la izquierda del monstruo, entrando en una especie de umbral divino. Así pues, la única diferencia notable entre los egipcios y los constructores góticos fue que éstos sustituyeron al dios Anubis por un ángel.

—Lógico —sonrió—. Y me alegra que seas capaz de relacionar conceptos gráficos dispares y preguntarte por el origen de lo que ves.

—¿Sabe una cosa, maestro? Cada vez que hablo de estas huellas egipcias en la cultura occidental, me pregunto cómo pudieron transmitirse ciertos iconos trascendentales de civilización en civilización, de religión en religión, a través de los tiempos...

—¡Eso sí es un gran misterio! —refrenda Fovel sin bajar la mirada de *La Encarnación*, que ahora tenemos delante—. Ese ímpetu por llegar a las fuentes del arte me recuerda a los debates en los que se intentaban desvelar las tradiciones de las que bebieron tanto los Hermanos del Espíritu Libre como los familistas. Yo participé en muchos de ellos y llegué a mis propias conclusiones.

—¿Descubrió la fuente común de esas herejías? ¿En serio?

—Analiza la *Familia Charitatis* que tanto impactó a Arias Montano y más tarde al Greco —dijo llevándose el índice izquierdo a la sien—. Sus miembros se sintieron parte de una fe minoritaria que creía haber superado a todas las demás religiones. A diferencia de cristianos o judíos, por ejemplo, la suya promulgaba el contacto directo con Dios. Para ellos, el Creador anida dentro de cada uno de nosotros, y basta con recurrir a ese brillo divino para invocar su presencia. Lo curioso es que todo eso lo encontramos dos siglos antes en la fe cátara, e incluso antes, en los albores del cristianismo, entre los gnósticos. Hoy sabemos que los familistas a los que estuvo vinculado Brueghel fueron, de algún modo, uno de los últimos destellos de la fe cátara en la Historia.[87] No en vano los unos se hicieron llamar la Familia del Amor porque los otros se habían autoproclamado la Iglesia del Amor, en oposición a la de Roma («amor» escrito al revés, por cierto).

—¿Entonces los cátaros son «la fuente»? —salto asombrado—. ¿Los herejes más perseguidos de la Edad Media?

—Los hombres puros o *bonhommes*, sí. Antes de ser masacrados en el sur de Francia por tropas leales al papa en 1244, extendieron por toda Europa la idea de que la naturaleza había sido creada por fuerzas oscuras. Para ellos la materia, lo corpóreo, no era más que una prisión para el espíritu. No creían, por tanto, en un solo dios creador, bueno, sino también en un gran demiurgo malvado. Argumentaban que algo tan frágil y degenerado como el universo tangible no podía atribuirse a un supremo y perfecto hacedor. Y lo cierto es que muchos los siguieron. Incluso insistieron hasta la saciedad en que la Biblia debía traducirse del latín a las lenguas vernáculas, en un empeño que no tomaría cuerpo hasta las Biblias políglotas del cardenal Cisneros o de Arias Montano. Sin embargo, hijo, lo que los hizo acreedores de la peor persecución de cristianos contra cristianos que se haya visto jamás, la misma que ayudó a instituir la Inquisición y sus temibles prácticas, fue su fe en que dentro de la materia humana todos escondemos esa porción del espíritu divino que puede ser empleada para comunicarnos con Dios. Directamente. Sin necesidad de intermediarios. Ni de la Iglesia, claro. De ahí la insistencia de estos pintores en elaborar escenas en las que místicos, reyes o personajes bíblicos vislumbran el mundo intangible, que es el puro. El creado por el Dios bueno.

—Pero... —dudo— ¿eso es intuición suya o se ha estudiado en serio?

Fovel sonríe.

—Ay, Javier. Naturalmente que se ha estudiado. Lo malo, como podrás imaginar, es que estos debates no han trascendido demasiado. No son muchas las universidades donde se estudian. Recuerdo el controvertido ensayo de una profesora de arte de la London University, Lynda Harris, que propuso la idea de que los adamitas que contrataron *El jardín de las delicias* surgieron a partir de un grupo de supervivientes cátaros.[88] Según ella, el arte de los siglos posteriores al genocidio cátaro en Europa fue el último reducto que tuvieron para escapar de la oscuridad del mundo material en la que se sentían atrapados. Para esos adeptos, meditar ante un cuadro apropiado les hacía recordar que no todo lo que existe puede tocarse o medirse. Que el ser humano dispone de una dimensión espiritual que debe cultivarse para alcanzar lo que los griegos llamaron *Theoretikos*: el principio de la visión de lo que trasciende.

—¿Y cree usted que el Greco comulgó con ese principio? —pregunto, volviendo la vista a los cuadros que nos rodean.

—Si lo aceptó o no también es objeto de una ácida polémica entre especialistas. Lo que parece indiscutible es que su obra rezuma una sobrenaturalidad muy del gusto de los familistas. Grandes biógrafos suyos como Paul Lefort o Manuel Cossío, ajenos a la teoría familista, aceptan sin problema que el Greco buscó la unión mística con Dios a través de su oficio. Y, de hecho, estoy convencido de que algunas de estas obras maestras beben directamente de experiencias visionarias.

—¿Entonces el Greco fue un místico?

Fovel sonrió de oreja a oreja:

—En puridad sólo él podría responderte a eso, hijo. Pero te advierto que el místico verdadero guarda para sí sus visiones. Por eso, si lo fue, se cuidó mucho de hacerlo público. Ahora bien: de lo que no cabe ninguna duda es de que utilizó escritos de otros médiums y visionarios para ejecutar sus mejores obras.

—Hummm... —rumio—. ¿Como quién, doctor?

—¿Quieres un nombre?

—Claro.

—Muy bien. Como Alonso de Orozco, por ejemplo.

Me encojo de hombros.

Por un instante pensé que el maestro iba a establecer otra de sus ingeniosas conexiones relacionándome al Greco con santa Teresa de Ávila.

—No sabes quién fue, ¿verdad?

A mi pesar, asiento.

—No te preocupes —dijo quitándole hierro a mi ignorancia—. Casi nadie se acuerda hoy de ese agustino, pero créeme si te digo que fue uno de los religiosos más populares del siglo XVI. De hecho, a su muerte fue propuesto para patrón de Madrid en sustitución de san Isidro.

—¿Es santo?

—Beato.[89] Fue predicador de Carlos V y de Felipe II, amén de confesor y amigo de Gaspar de Quiroga, el todopoderoso arzobispo de Toledo.

—¿Y qué relación tuvo con el Greco?

—Bueno... A Orozco le debemos el encargo de un número indeterminado de pinturas para el retablo que adornó el seminario de la Encarnación de Madrid.

—¿Y eso por dónde queda?

—Se levantó cerca del Palacio Real, pero las tropas francesas lo destruyeron en la guerra de la Independencia. Las pinturas del Greco se dispersaron, perdimos la noción de cómo fue ese retablo exactamente, y sobre el solar se edificó el actual edificio del Senado. Pero lo importante de este asunto es que, cuando se le pidió a Doménikos que decorara ese seminario, Alonso de Orozco era ya muy conocido en Madrid por sus éxtasis y sus visiones sobrenaturales.

—Ya veo. Otro profeta... —barrunté.

—En realidad fue más teólogo que profeta, hijo. Aunque su vida pareció predestinada a lo místico. Fíjate. Orozco contaba que cuando su madre estuvo embarazada de él se le manifestó en sueños «una voz muy suave, como de mujer»[90] que no sólo le dijo que iba a tener un hijo varón, sino que le pidió que lo llamase Alonso. Años más tarde, siendo ya prior del monasterio de los agustinos de Sevilla, le ocurrió algo muy parecido a él mismo. En medio de un sueño se le manifestó la Virgen y le dio una orden explícita: «Escribe.» Y Orozco, claro, la cumpliría con devoción durante el resto de su vida, dejando treinta y cinco libros publicados y amistad con escritores notables como Lope de Vega o Quevedo, iniciando así ese camino tan estrecho que separa fe de razón.

—¿Qué quiere decir, doctor?

—Pues que siendo un hombre muy respetable, un intelectual, pronto adquirió fama de que sus sermones eran milagrosos y podían curar enfermedades y hasta resucitar a los muertos. Pero, que se sepa, sólo demostró dones de videncia en dos ocasiones. La primera, la noche en la que la Armada Invencible fue hundida en el canal de la Mancha. El beato la pasó orando y suspirando «¡Ah, Señor, este Canal...!». Y la segunda, tiempo antes de morir, cuando predijo que entregaría su alma a Dios el 19 de septiembre de 1591 a mediodía, como así ocurrió.

—Con esos antecedentes, no me extraña que el Greco quisiera pintar sus visiones...

—En realidad no lo convenció él para que lo hiciera, sino María de Aragón, dama de compañía de la última esposa de Felipe II y entusiasta protectora del beato. Alonso de Orozco murió cinco años antes de que el Greco comenzara a trabajar en el Seminario de la Encarnación que él y María habían fundado, pero siempre con arreglo a un plan de trabajo sugerido por las visiones del primero.

—Entonces, fue ella quien dirigió al pintor, ¿no?

—Exacto. De ese retablo perdido proceden al menos dos pinturas de esta sala: *La Encarnación* y *La Crucifixión*. Fíjate en ellas, Javier. Tienen las mismas medidas. Y seguramente estuvieron acompañadas por otras dos de menor tamaño, *La Adoración* y *El Bautismo*, que por desgracia no se encuentran en este museo. Lo que tienen en común estas cuatro tablas es la presencia de ángeles en todas las escenas. El detalle no es baladí, ya que Orozco consideraba que los sacerdotes debían ser imitadores de los ángeles. A fin de cuentas, era a ellos y no a fieles cualesquiera a quienes estaba destinado ese retablo para la gran iglesia del seminario. Por esa misma razón, la ausencia de ángeles en *La Resurrección* y en *Pentecostés* descarta que esas dos pinturas pertenezcan al retablo de María de Aragón...

—Pues es eso lo que se dice en esta cartela —preciso al leer bajo estas dos últimas obras su adscripción al referido retablo.

—Da igual lo que diga ese letrero. Yo soy más de la opinión del doctor Richard Mann,[91] un historiador que acaba de hacer pública su tesis de que tras los cuadros del seminario de los agustinos de Madrid se oculta un programa místico que se ajusta como un guante a las visiones del beato. Él fue quien se dio cuenta de ese detalle angélico. Pero mira, fíjate otra vez en *La Encarnación*. ¿Ves cómo el pintor ha eliminado casi toda referencia física de la habitación en la que está María? Alonso de Orozco escribió mucho al respecto de este episodio y aseguró que, en el momento en el que el arcángel Gabriel plantó la semilla divina en su vientre, todo el mobiliario de la estancia se desvaneció. Y en ese instante Gabriel cruzó los brazos sobre su pecho, maravillado ante la docilidad de María. ¡Eso es justo lo que vemos aquí!

Eché un vistazo al cuadro. Había que tomar una cierta distancia para admirarlo en todo su esplendor y, aun así, producía cierta desazón posar la mirada en una jovencísima María entregada a la voluntad de su visitante. La obra tenía algo de alucinatorio. Los colores, las columnas de querubines rasgando el cielo plomizo de la escena y hasta la torsión del ángel resultaban irreales. Casi como si se estuvieran derritiendo ante nuestros ojos. Fovel se apresuró entonces a quejarse de cómo en los últimos años los conservadores del museo habían bautizado a esa *Encarnación* como *Anunciación*. «¡Y no es lo mismo!» Me explicó entonces la sutil diferencia que existe entre ambas definiciones. Mientras que en la primera María ya está embarazada del Hijo de Dios, en la segunda —sucedida apenas un instante antes— acaba de recibir la noticia de que va a quedarse encinta. Orozco siempre se interesó más por la primera, ya que, según él, servía para meditar mejor sobre dos aspectos esenciales de la vida sacerdotal: el voto de castidad y la transubstanciación, esto es, la conversión literal de la hostia en cuerpo y sangre de Jesús durante la misa, de modo similar a como el Verbo toma cuerpo en el vientre de la Virgen.

—Lo normal hubiese sido que en esta *Encarnación* (pues de eso se trata, sin género de dudas) el Greco pintara al arcángel con el brazo extendido hacia la Virgen, como vemos en tantas otras representaciones de ese momento. Incluso —añadió— aparece de esa guisa en una *Anunciación* de su autoría que se encuentra en una de estas salas...[92] El caso es

La Encarnación. El Greco (ca. 1597-1600). Museo del Prado, Madrid.

que Orozco dejó bien claro en sus escritos que esa actitud de recogimiento y asombro del mensajero correspondía al momento en el que María se hizo madre. Y Doménikos lo plasmó al pie de la letra.

Mi memoria comenzó a echar chispas. ¿Cuántas anunciaciones había visto con el ángel cruzado de brazos? Casi exactamente bajo nuestros pies, en la planta inferior, había una. Quizá la más famosa del museo. *La Anunciación* de Fra Angelico. Si el maestro estaba en lo cierto, de buen grado el beato Orozco habría cambiado ese título por el de *Encarnación*, ya que en ella tanto la Virgen como el Anunciador trasponen sus brazos sobre el pecho.

—Perdone que haga de abogado del diablo, doctor, pero ¿eso es todo? ¿Toda la conexión Orozco-Greco se fundamenta en unos simples brazos cruzados?

—¡En absoluto! —Me pareció que su exclamación era de protesta—. Existe otro detalle profundamente orozquiano que vuelve a poner en evidencia quién fue la fuente de inspiración de estas imágenes. Fíjate en lo que hay entre María y Gabriel. ¿Lo ves? Es la zarza ardiente con la que Moisés habló durante el Éxodo[93] y que, según el beato, reapareció en la habitación de la Virgen justo en el momento de la encarnación. No hay otras representaciones de esa zarza junto a María en toda la Historia del Arte. Verla ahí es... impresionante.

—¿Y *La Crucifixión*? —pregunté desviando la mirada hacia ese cuadro, una impactante escena nocturna del ajusticiamiento del Señor—. ¿También tiene la «marca» de las visiones de Orozco?

El maestro dio entonces un par de pasos hacia el lienzo y, extendiendo los brazos hacia arriba, casi como si imitara al crucificado, exclamó:

—¡Pues claro que la tiene! Y seguramente fue la más

La Crucifixión. El Greco (ca. 1597-1600). Museo del Prado, Madrid.

meditada de todas. No te he contado aún que uno de los ejercicios habituales del beato Orozco era el de quedarse durante horas admirando un viejo crucifijo parecido al que vemos aquí, que lo acompañó hasta la tumba. Esa pieza estuvo muchos años expuesta en el altar mayor de la iglesia de San Felipe Neri de Madrid hasta que un día, en medio de una de aquellas meditaciones, el crucificado abrió los ojos y le dedicó una mirada que jamás olvidaría. Después de esa visión vinieron muchas más, y gracias a ellas Orozco llegó a componer un relato de la pasión aún más crudo y detallado que el de los Evangelios.

—Es un poco osado decir eso. Si el beato fue un buen hombre de Iglesia, es extraño que se dejara llevar por sus visiones para encargar estos lienzos...

—Te recuerdo que no fue él quien los encargó sino su mentora, María de Aragón. Su obsesión era que la tumba de Alonso de Orozco, bajo el altar mayor del seminario, tuviera una decoración acorde a su dignidad y que sirviese para promover su ascenso a los altares...

—Aun así, me parece muy arriesgado salirse de los Evangelios en tiempos del Santo Oficio...

—Fueron desviaciones sutiles, de las que muy pocos se dieron cuenta —precisó—. A dos pruebas me remito. La primera tiene que ver con la forma de clavar los pies a Jesús. En todas las crucifixiones de Doménikos, el pie izquierdo del Mesías está colocado sobre el derecho... excepto en ésta. De hecho, así aparece también en la mayoría de obras de otros artistas. Pero nuestro beato dejó escrito que, tal y como vemos en este cuadro, los romanos pusieron su pie derecho sobre el izquierdo para, según él, causarle más dolor. Y a esto añadió otro detalle: que colgaron a Jesús tenso sobre el madero, sin posibilidad de arquear su tórax para inhalar aire, para así multiplicar su angustia y su agonía. Fíjate ahora en el potente chorro de sangre y agua que le mana de la herida del costado. También aparece de modo notorio en los escritos del beato. Orozco creía que una sola gota de ese líquido bastaría para redimirnos de nuestros pecados. Por eso los recoge un ángel, trasunto del «buen sacerdote», ¿recuerdas? Todos estos detalles, hijo, fueron meticulosamente estudiados por el Greco e incorporados a su pintura.

A esas alturas de nuestra conversación, sólo me quedaba una última pregunta que trasladarle al maestro. Ya tenía clara la filiación de Doménikos Theotokópoulos a la secta de Arias Montano. Su predilección por las cuestiones místicas explicaba el porqué de su agrado en pintar las revelaciones del beato Orozco. Aunque más ortodoxas y menos proféticas que las de Savonarola, también nacían del manantial de las revelaciones. De la misma fuente invisible, en definitiva, en la que se saciaron Hendrik Niclaes, Joaquín de Fiore o Amadeo de Portugal. Pero ¿por qué el Greco las pintó así? ¿Qué razón tenía para dotar a sus figuras de esa textura tan singular, tan exagerada, tan... impresionista?

Ante mi pregunta, Fovel amagó una de las respuestas más extrañas de la tarde. Eludió las teorías modernas que sospechan que el Greco padeció alguna clase de defecto visual o incluso brotes de locura, despachando como estúpidas las ideas del doctor Ricardo Jorge, que en 1912 calificó nuestra sala del Prado como «un museo lombrosiano» en el que hay «de todo: caras patibularias, figuras imbéciles, acéfalos e hidrocéfalos».[94] Por el contrario, me habló de un viejo amigo suyo, el historiador Elías Tormo y Monzo, y de cómo años atrás había dado con una respuesta plausible a mi cuestión.

—Quizá no te complazca —me advirtió—. Pero es la clave íntima de todo lo que estoy mostrándote, hijo. Tormo y Monzo, en una serie de conferencias pronunciadas en el Ateneo de Madrid, dijo más o menos lo siguiente:

Yo me atrevo a colocar al Greco en el escasísimo número de los pintores que crearon otra humanidad distinta de esta a que pertenecemos [...]. Los hijos de la paleta del Greco no son hombres como nosotros; tampoco titanes como las sibilas y los profetas de la Sixtina; tampoco hechiceros habitantes de un mundo de seducciones como los pintados por el Correggio. Los anima un potente hálito de vida, más bien la vida misma; diría que viven.[95]

Esta cita me dejó tan perplejo que no me atreví a replicar. Por segunda vez en aquellos encuentros, volvía a hablarme de los habitantes de las pinturas como de entes vivos. Pero ¿de veras el maestro creía en eso?

Ya no me atreví a preguntarle por el célebre *Entierro del conde de Orgaz*, su obra maestra, conservada en la iglesia de Santo Tomé de Toledo. A buen seguro habríamos discutido sobre si los veintiún personajes que aparecen en torno al difunto representaban o no otros tantos arcanos mayores del tarot, e incluso me habría aclarado quién de ellos era su mentor familista, Benito Arias Montano. Tal vez nos hubiéramos adentrado en si la obra esconde alguna clase de anhelo reencarnacionista, como ciertos autores han propuesto últimamente,[96] o si las dos llaves que sostiene san Pedro le servían para abrir las puertas del mundo de la materia y el del espíritu, los eternos opuestos del catarismo. Pero no hubo tiempo. A mi parquedad se le sumó enseguida su ya familiar deseo de evaporarse. Y lo hizo dejando en el aire una frase que me dejó meditabundo:

—Debo irme, hijo —soltó de repente—. Mi tiempo se cumple. Adiós.

¿Qué quiso decir con aquello? ¿Su tiempo de qué?

16

Jaque al maestro

Los ojillos vivaces de Toñi se clavaron en los míos en cuanto me vio cruzar —más taciturno que de costumbre, a eso de las nueve y media de la noche— por delante de su ventanilla. Desde su pequeño cubículo, agazapada tras el mostrador de recepción del Colegio Mayor Chaminade, lanzó una voz que me detuvo en seco.

—Pero ¿en qué diablos andas metido, niño? ¡Llevo todo el día buscándote! —gruñó mientras blandía algo en la mano para llamar mi atención—. ¡Este hombre ha llamado cinco veces preguntando por ti! ¡No ha parado de dejar mensajes desde las tres!

En cuanto me acerqué, me tendió lo que resultó ser un puñado de notas de aviso telefónico.

—Ha dicho que es muy urgente —remachó—. Que lo llames en cuanto llegues. Hazlo, ¿quieres?

—Vale, vale. —Las recogí con desgana.

Al principio no caí. Los apuntes tenían las inconfundibles caligrafías de Toñi y de la recepcionista del turno de mañana, y mostraban un nombre y un número de teléfono que me eran desconocidos.

«¿Quién es Juan Luis Castresana?»

—Ah, por cierto... —apuntó Toñi antes de volver a pegar los ojos en un pequeño televisor en blanco y negro que daba la información del tiempo—. Ese hombre dijo también no sé qué de El Escorial. Que tú ya sabrías quién es.

«¿El Escorial?»

El relámpago fue instantáneo.

«¡El padre Juan Luis! ¡Claro! ¡El bibliotecario!»

Sin dar ni las gracias, me abalancé a la cabina para marcar el número de siete cifras que aparecía en todas las notas. Deslicé mi última moneda de cien pesetas en la ranura y esperé. Tras el primer tono, una voz apática me hizo saber que estaba en contacto con la residencia de estudiantes de los padres agustinos de San Lorenzo de El Escorial. «¿El padre Castresana? Un momento. Le paso.» Y así, cinco o seis crujidos de línea más tarde, su inconfundible voz tronó en el auricular.

—¡Javier! Gracias a Dios que has llamado.

—¿Ocurre algo, padre? —pregunté con todo el tacto que pude. Me pareció que su voz sonaba algo agitada—. ¿Se encuentra bien? Acabo de recibir sus recados.

—Bien, bien... —rezongó como si masticase mis palabras—. No es fácil dar contigo, hijo.

—Llevo todo el día fuera. Llego ahora del Museo del Prado y, bueno, siento no haber sabido antes que usted...

—No te excuses. No importa —me cortó—. Verás: te he llamado porque esta mañana he descubierto algo muy serio. Algo que, de un modo u otro, te incumbe.

Aquellas palabras del padre Juan Luis me dejaron un instante sin saber qué decir.

—Javier —noté cómo de repente el agustino tragaba saliva al otro lado—, ¿recuerdas lo que me pediste que buscara en la biblioteca?

—Eeeh... —dudé.

—He dado con algo muy, pero que muy raro, hijo mío. Pero no quisiera hablarte de esto por teléfono. Te espero mañana a las nueve en punto, temprano, delante de la entrada principal del monasterio. Ya sabes dónde está: junto a la residencia de estudiantes. ¿De acuerdo?

—Pe... pero... —intenté armar una protesta.

—No faltes. Es importante.

Y colgó.

A las nueve menos diez de la mañana siguiente, sábado, a pie, con los restos de la última nevada todavía cubriendo los adoquines de granito que pavimentan la lonja del monasterio de San Lorenzo de El Escorial, dejaba atrás la cara norte del recinto para dirigirme a su puerta principal. ¿Qué otra cosa podía hacer? Si días atrás había decidido dejarme llevar por los acontecimientos y permitir que el destino —o lo que quiera que fuese— iluminara mis pasos, ésa parecía una oportunidad magnífica para poner a prueba mi nueva fe. ¿Me equivocaba? ¿Era sensato experimentar con todo aquello? Para mi desgracia, no las tenía todas conmigo. Estaba en ayunas y sumido en el más absoluto de los desconciertos. El madrugón primero y las noticias de la radio del coche después habían terminado por cerrarme el estómago. El mundo se oscurecía a mi alrededor por momentos. El secretario general de la ONU, Javier Pérez de Cuéllar, iba a reunirse ese mediodía con el sátrapa de Saddam Hussein para exigirle que retirara sus tropas de Kuwait. En Estados Unidos tocaban tambores de guerra. Además, por si fuera poco, Felipe González acababa de ordenar a las tropas españolas que se preparasen para ayudar a una eventual invasión aliada de Irak. Y justo en medio de semejante locura colectiva este aprendiz de periodista iba de un lado a otro zarandeado por un maestro surgido de sabe Dios dónde, un intimidante inspector de Patrimonio y, ahora, un viejo agustino de la biblioteca de San Lorenzo de El Escorial que decía tener algo importante que confiarme.

¿No era todo demasiado extraño? ¿No había caído en una espiral que me sobrepasaba?

Qué importaba. El caso es que ya no había marcha atrás.

Me froté los ojos con los puños enguantados intentando concentrarme en lo que me había llevado hasta allí. Por fortuna, no estaba solo. Una intermitente marea de personas —bedeles, vigilantes de seguridad, funcionarios y algún que otro turista madrugador— hacían verdaderos esfuerzos por no resbalar en el suelo de granito helado y llegar indemnes a la puerta principal del recinto. Decidí imitarlos con cautela y dirigirme al «punto de encuentro» fijado por el padre Juan Luis.

El lugar, a esas horas, intimidaba de veras. Su porte, su solemnidad, el silencio sólo roto por el eco del taconeo de los visitantes y esa impresión de solidez y perfección que transmitía el diseño de sus muros avisaban de que no había llegado a un monumento cualquiera. No lo era. Tras sus fachadas de doscientos metros de lado, levantadas en tiempos de Felipe II, se escondían más de cuatro mil habitaciones ahora vacías, dos mil seiscientas setenta y tres ventanas, ochenta y ocho fuentes, quinientos cuarenta frescos, mil seiscientos cuadros y más de cuarenta y cinco mil libros. Eran cifras mareantes que se me habían grabado a fuego a fuerza de escuchárselas a los guías. El Escorial siempre me había atraído. Lo visitaba de tarde en tarde. Conocía sus leyendas y no me costaba imaginar cuántas respuestas a los arcanos del Prado podrían esconderse allí. Sin embargo, ¿era eso lo que el padre Juan Luis iba a confiarme? ¿Respuestas? ¿Y por qué no había querido adelantarme ninguna por teléfono? ¿Habría encontrado una nueva pista sobre el *Apocalypsis Nova*? ¿Otra profecía angélica, quizá?

Sólo ahora, al redactar estas líneas, me doy cuenta de lo torpe que fui. No sospeché ni remotamente el dramático giro de los acontecimientos que estaba a punto de producirse.

A la hora en punto, preciso como un reloj suizo, el padre Juan Luis asomó por la puerta de la residencia Alfonso XII. Imposible no reconocerlo. Encorvado, vestido con sus hábitos negros ceñidos por un pasador, sin abrigo y manteniendo un paso muy lento, comenzó a deslizarse hacia la entrada principal, bien pegado a la vertiente más alargada del edificio. No se detuvo siquiera a echar un vistazo a su alrededor. Si había puesto los pies en la calle porque esperaba encontrarse conmigo, supo disimularlo.

Apreté el paso hacia su posición y a medio camino lo intercepté.

—Buenos días, padre. ¿Es buen momento para...?

El anciano se estremeció al sentir que alguien le tocaba su hombro huesudo.

—¡Demonios del infierno! —exclamó electrizado—. ¡Menudo susto me has dado, hijo!

—No menos que el que usted me regaló anoche —repliqué afable.

Su interpretación era perfecta. O eso me pareció. Nadie que nos hubiera visto en ese momento sospecharía que nuestro encuentro estaba pactado.

—Está bien, está bien... —Me guiñó un ojo justo antes de bajar la voz—. Me alegra que estés aquí. ¿Vienes solo?

—Marina no ha podido acompañarme —mentí—. Espero que no le importe.

El padre abrió las manos como diciendo «Qué le vamos a hacer» y a continuación echó un vistazo a la plaza. Lo hizo con un gesto astuto que, la verdad, me recordó al maestro. ¿Por qué todo el mundo con el que hablaba últimamente se sentía vigilado?

—Es mejor que primero conversemos en la calle —musitó al fin el anciano—. ¿Te parece?

Asentí, algo extrañado.

—Excelente. En cuanto entremos en la biblioteca y te enseñe lo que he encontrado, deberás tener la boca cerrada. No digas nada. No preguntes. Yo no lo haré. ¿Me entiendes? Si nos oyeran, terminarían encerrándome por loco y a ti..., bueno... A ti no sé qué te harían.

—Pero ¿de verdad quiere que hablemos aquí? —Me encogí de hombros—. ¿Con este frío? ¿Y usted sin una bufanda siquiera?

—¡Paseemos!

El agustino se agarró entonces a mi brazo para no resbalar y juntos recorrimos el medio centenar de metros que nos separaba del ingreso al monasterio. De poco sirvieron mis tiritonas y mis intentos por apretar el paso. El padre Castresana, ajeno a mis cuitas, había comenzado a hablarme en un tono tan bajo y pausado que tuve que acercar mi cabeza a la suya para escuchar lo que decía.

—...que debí haberme dado cuenta antes —concluyó su última frase.

—¿De qué, padre? —le interrumpí, perdido.

—¡De las fechas, hijo, de las fechas! —reconvino—. Cuando me pediste que examinara qué personas se habían interesado por el *Apocalypsis Nova* antes de vuestra visita, ¿recuerdas?, consulté los registros de peticiones y encontré algo extraño en nuestras microfichas.

Al oír en su boca, otra vez, el título del dichoso libro profético me acerqué aún más al religioso.

—Al principio no le di importancia, hijo. Pensé que se trataba de un error. Pero esta semana he podido retomar al fin el asunto y me he llevado una buena sorpresa.

—No entiendo...

El agustino suspiró:

—A ver, Javier. Escúchame bien. Los registros de préstamo del texto del beato Amadeo son clarísimos. El año pasado nadie, *absolutamente nadie*, solicitó ver ese libro hasta que llegasteis vosotros y ese investigador que os precedió.

—Julián de Prada —castañeteé.

La mirada del padre Juan Luis relampagueó de sorpresa.

—Sí, exacto... Creí que no lo conocías.

—En realidad, no mucho. Marina y yo nos lo encontramos en Madrid después de hablar con usted. Pero siga, siga, por favor.

—Ahora viene lo más raro, hijo. El caso es que, intrigado por que un libro como ése, lujosamente encuadernado, de buena caligrafía, fuera tan poco requerido, consulté en nuestros registros de 1989, 1988, 1987... ¡y nada! Era increíble. A nadie le había importado un comino el *Apocalypsis Nova* en mucho tiempo. Sin embargo, el tema comenzó a escamarme de veras cuando tirando de archivos llegué hasta las solicitudes de los años setenta... ¡y tampoco encontré nada! ¡Ni un requerimiento interno siquiera!

—¿Nadie lo pidió en veinte años y de repente fuimos dos en unos días?

—Es para mosquearse, ¿no te parece?

—Desde luego —acepté.

—Piensa que cada año se reciben en esta biblioteca peticiones de lo más singular. Por el tipo de fondo que guardamos, único en el mundo en muchos aspectos, recibimos a estudiosos de todas partes. Una de las solicitudes más recurrentes es, por ejemplo, la del *Enchiridion* del papa León III, un regalo que le hizo el papa a Carlomagno y que, desde entonces hasta su muerte, lo llenó de felicidad, protección y éxitos militares, por lo que se dijo que tenía propiedades mágicas. Carlos V y Felipe II, en tanto remotos herederos suyos, mandaron a expertos a buscar ese prodigioso talismán de pergamino por toda Europa, pero, si alguna vez lo consiguieron..., no lo depositaron aquí. A veces también nos piden las obras autógrafas de Santa Teresa, las *Cantigas de santa María* de Alfonso X el Sabio o el *Beato de Liébana.* Ahora bien: que nadie en los últimos veinte años haya rellenado un impreso para ver el *Apocalypsis Nova*, siendo éste un libro perfectamente inventariado, de una colección notable, y que en sólo una semana lo solicitarais dos... me pareció raro.

—Aunque imagino —le acoté, como tratando de justificar su extrañeza— que, con todos los libros que guardan aquí, es normal que algunos lleven siglos sin abrirse...

—No, no. Si lo raro no es eso. Tienes razón. Lo verdaderamente inusual es que la última persona que lo consultó antes de vuestra visita lo hizo en la primavera de 1970. ¿Y sabes cómo se llamaba?

Negué con la cabeza. ¿Cómo iba a saberlo?

—¡Julián de Prada!

—No es posible —resoplé.

—Lo tengo todo anotado. No hay duda. Entre abril y junio de 1970, Julián de Prada y otro investigador llamado Luis Fovel pidieron ver el *Apocalypsis* del beato Amadeo tres veces. Las microfichas no mienten.

—¿Luis Fovel? —Aturullado, noté cómo una súbita ola de calor sonrojaba mi rostro—. ¿Está usted seguro?

—Sí. ¿También lo conoces?

Asentí algo incómodo.

—¿Y hace mucho que no lo ves?

Aquella cuestión me sorprendió.

—Ayer mismo estuve con él, padre. ¿Por qué lo pregunta?

Percibí entonces una cierta inquietud en el padre Juan

Luis. Sólo cuando note que sus dedos se clavaban en mi antebrazo supe que era angustia:

—Y dime, hijo mío: ¿es... muy mayor?

Fruncí los labios dándole a entender que no demasiado. Desde luego, no más que él, precisé. A lo que el agustino respondió con un quejido.

—Lo que me temía...

—¿Qué ocurre, padre?

El viejo bibliotecario dio entonces un par de pasitos hacia la puerta de la iglesia. Lo justo para abandonar la zona en sombras de la lonja y detenerse en el único repecho bendecido por los primeros rayos de sol de la jornada.

—Ayer por la mañana hice una última consulta en el registro de lectores de nuestra biblioteca —dijo al fin—. Y descubrí otra cosa que me alarmó. Por eso decidí llamarte. Verás: entre 1970 y 1952 no hubo tampoco ni una sola petición de lectura del libro del beato. Sin embargo, localicé una solicitud fechada en octubre de ese último año en la que volvía a aparecer el nombre de Luis Fovel.

—¿En 1952? ¿Hace casi cuatro décadas?

El agustino tragó saliva, asintiendo.

—Y no termina ahí este asunto. Le pedí a uno de los jóvenes informáticos que están digitalizando nuestros registros que me buscara qué otras peticiones guardábamos con el nombre de «Luis Fovel» o de «Julián de Prada», y encontró algo que... —su voz tembló perceptiblemente—, algo que no sé cómo interpretar.

—¿Qué?

—Bueno... —Forzó una risita nerviosa, volviendo su rostro hacia el Sol—. El caso es que en el ordenador se pierde la pista de Julián de Prada, pero no así la de Fovel. Encontré nuevas referencias a consultas de ese hombre realizadas en 1949, 1934... —tomó aire—, pero también en 1918

285

y hasta en 1902. De antes, por desgracia, no se conservan ya los registros.

—Debe de ser una broma, ¿verdad? —objeté perplejo—. No es posible que...

—¡Eso mismo pensé yo, hijo mío! —me interrumpió—. Al principio supuse que podría tratarse de familiares. Ya sabes, tal vez abuelo, padre e hijo del mismo nombre acudieron a nuestra biblioteca en épocas diferentes, interesados en una misma temática. ¿Por qué no? Hay otros casos. Pero entonces surgió un problema.

—¿Qué clase de problema?

—Ayer a mediodía localicé al fin el formulario de Fovel fechado en 1902. El más antiguo de todos los que conservamos. Por suerte estaba microfilmado. Y al comparar la firma que dejó entonces con la que aparece en su ficha de 1970...

El anciano tembló.

—¿Qué, padre?

—...Vi que eran de la misma persona. Dios santo, Javier. No soy perito calígrafo, pero casi podría jurártelo. ¡Las dos firmas son idénticas! ¿Te das cuenta de lo que eso significa?

Dejé que una enorme bocanada de aire frío se me instalase en la garganta.

Si lo que el padre Juan Luis insinuaba era cierto, alguien llamado Luis Fovel había pedido ver un manuscrito prohibido de El Escorial, de manera interrumpida, durante casi setenta años. Y si era el Fovel que yo conocía, que aparentaba sesenta y muchos, entonces el maestro del Prado debía de tener como poco ciento diez o ciento veinte años.

—Imposible. Tiene que ser un error, padre —protesté con todo el convencimiento que fui capaz de reunir—. Seguro que hay una explicación.

—Yo no la encuentro.

—¿Podría ver esas firmas?

—Bueno, eso es precisamente lo que quiero que veas, hijo mío. ¿Entiendes ahora que anoche no quisiera hablarte de esto por teléfono?

Diez minutos más tarde, el hombre que mejor conocía la biblioteca del monasterio me guió hasta su pequeño despacho para mostrarme sus hallazgos. El lugar casi no había cambiado desde la última vez que lo vi. Seguía siendo el refugio de un sabio de otro tiempo, un reducto del pasado, sin ordenadores ni casi atisbo de tecnología, plantado en el centro de un pasillo transitado por hombres y mujeres mucho más jóvenes que él. Todos nos dieron los buenos días al vernos. Y a todos correspondió con un gruñido el viejo agustino. Entonces, a una señal suya, me fijé en la única gran novedad del entorno: sobre una mesita auxiliar descansaba un enorme aparato de hierro con aspecto de campana, coronado por una pequeña torre con ruedecillas y palancas.

—Ése es el «tipi» —murmuró el padre Juan Luis al ver mi cara de extrañeza—. Una reliquia de la guerra fría. Los americanos que nos lo vendieron en los setenta decían que les recordaba a las tiendas de los indios del salvaje oeste. En realidad, es un Recordak MPE-1. El lector de microfilmes más fiable del mundo.

El agustino al que yo creía ajeno a toda modernidad deslizó entonces una cinta en la torreta, la ajustó a los tensores, encendió un interruptor que iluminó el interior de la campana y me invitó a que me sentara frente a la gran abertura en forma de pantalla que se abría en uno de sus costados. Mientras tanteaba un cajón en busca de sus gafas, me ordenó:

—Y ahora, hijo, concéntrate.

Cuando la primera imagen del rollo de película se proyectó sobre la superficie lisa del interior del «tipi», sentí una pequeña punzada de decepción. A simple vista, el fotograma inaugural resultó más bien insulso: reproducía una cuartilla descolorida por el tiempo, con un membrete y una tipografía desvaídos, fechada justo antes de la guerra civil española. «Biblioteca del Real Monasterio de San Lorenzo de El Escorial. Salón de Lectura. Préstamos», rezaba.

—Memoriza la firma, por favor —dijo invitándome a estudiar la parte inferior del documento.

Juan Luis Castresana repitió aquella operación tres veces más, mostrándome las caligrafías de otras tantas fichas con anotaciones que iban desde principios de siglo hasta finales del gobierno de Franco. Cuando su exhibición terminó, mi decepción inicial se había convertido en vértigo.

—¿Y bien? —Me miró, llevándose el índice a la boca con disimulo recordándome que debía contener cualquier reacción.

—Estaba en lo cierto, padre —musité—. Ya veo el problema.

En realidad quería gritar, pero me contuve.

Si aquellos documentos eran auténticos —cosa que no dudé ni por un segundo—, el agustino acababa de hacer un descubrimiento sensacional. Resultaba dolorosamente evidente que nos encontrábamos ante solicitudes bibliográficas separadas por al menos siete décadas, que habían sido firmadas por una misma rúbrica. No había margen para el error. Aquel «Fovel» enorme, legible, con una efe mayúscula larga y estilizada, rematado por una ele cuyo único brazo se convertía en un látigo que semejaba restallar alrededor del apellido, era el mismo en todos los documentos.

Pero ¿cómo podía ser?

Comparé las firmas en el visor durante un buen rato, cambiando yo mismo los rollos una y otra vez. Las observé sin atreverme más que a asentir con la cabeza, para que ninguno de los transeúntes del pasillo pudiera entender de qué estábamos tratando el viejo agustino y yo. Y sin embargo, al cabo de ese tiempo, lejos de disiparse mis dudas, la sorpresa y el asombro habían dejado hueco a dos sentimientos más dolorosos aún: la duda... y el temor.

—Muy bien —zanjó la sesión de «tipi» el padre Juan Luis, devolviendo aquellos rollos a sus cajas y dejándolas sin mayor precaución junto al proyector—. Bajemos a la basílica, ¿te parece? En la casa de Dios estaremos más tranquilos y podremos hablar.

«Estupendo.»

No se imagina el lector hasta qué punto aquella charla iba a cambiarlo todo.

El padre Juan Luis Castresana y yo nos acomodamos en un discreto banco al final de la gran iglesia del monasterio. Permanecimos allí durante casi dos horas. Al principio divagamos entre susurros sobre qué diablos podía significar todo aquello. Imaginamos errores, bromas y complots que nos condujeron a ninguna parte. Todo resultaba muy frustrante y durante un buen rato sólo coincidimos en una impresión: que él por un lado y yo por otro, como empujados por la providencia, habíamos tropezado con algo que nos sobrepasaba. Algo ajeno a toda lógica. Fue entonces, casi sin querer, mientras tanteábamos hasta qué punto debíamos descubrir nuestras cartas ante el otro, cuando opté por dar un paso adelante. Necesitaba confiar en alguien. Y hablé. Hablé y hablé hasta contárselo todo.

Aquello fue lo más parecido a una confesión que recuerdo haber hecho jamás. Le conté al padre Juan Luis cuanto sabía entonces de Fovel. Todo lo que he escrito en las páginas precedentes se lo desgrané con paciencia y meticulosidad. Incluso le participé algunas de las explicaciones que el maestro me había dado sobre la influencia del *Apocalypsis Nova* en artistas italianos y españoles. En cualquier caso, puse especial énfasis en su última lección, la que me ilustró sobre el Bosco, Brueghel, el Greco, los adamitas y la *Familia Charitatis* de Niclaes. Y hasta le comenté, no sin cierto pudor, y aun a riesgo de que me tachara de fantasioso, que según el doctor Fovel uno de los miembros principales de aquellas cofradías fue el primer bibliotecario de El Escorial, Benito Arias Montano.

—¿Significa eso algo para usted?

El agustino ni se inmutó.

Nada de aquello le pareció que explicara la antinatural secuencia de solicitudes del *Apocalypsis* por parte de Luis Fovel primero, y de Julián de Prada en menor medida. Y el viejo fraile, sabiéndose al final de un callejón sin salida, calló durante un rato. Cuando volvió a tomar la palabra, sólo me preguntó por mi interpretación personal de aquel asunto. «Y no me digas que son espíritus. Los fantasmas, hijo mío, no piden libros prestados», advirtió.

No estuve a la altura de su pregunta. ¿Cómo iba a estarlo? De hecho, no supe qué responderle. Y en ese momento en el que todo parecía haber terminado para este joven aprendiz de periodista, el anciano se sacó un as de la manga.

—Hay una cosa de la que no hemos hablado aún —dijo cruzando las manos en el regazo y perdiendo la mirada en el solemne retablo que presidía la basílica.

—¿Ah, sí? —resoplé con displicencia. Me había vaciado con aquel hombre y no estaba seguro de tener la energía mental suficiente como para procesar un dato más.

—¿Recuerdas cuando te dije que había buscado en los archivos digitales todas las peticiones bibliográficas de Luis Fovel? —Alcé entonces la mirada hacia el rostro ajado del padre, dejando que continuara—. Pues bien: cuando accedí al histórico de sus fichas y a las de Julián de Prada, vi que ambos no sólo pidieron ver el *Apocalypsis Nova*. También solicitaron otra clase de documentos. Siempre los mismos. Una y otra vez.

Parpadeé incrédulo.

—Se trata de textos algo heterogéneos, hijo —prosiguió, adelantándose a la inevitable pregunta—. Desde el *Prognosticon* de Matías Haco Sumbergense, que contiene la carta astral de Felipe II y varias predicciones para su reinado, hasta tratados de alquimia, libros de magia natural o apuntes de Arias Montano, pero también textos de épocas posteriores, de los siglos XVII y XVIII... En fin, ante esas referencias da la impresión de que esos hombres han estado siguiéndole la pista a algo. Dando vueltas en círculo en torno a una misma serie de temas. Y te diré más: estoy casi seguro de que ambos se hallan enfrascados en alguna clase de carrera... Y creo saber de qué clase.

—¿En serio?

—Te has sincerado conmigo, hijo, y ahora me toca a mí —suspiré con alivio al oír aquello—. Arriba en mi despacho tengo apartados todos esos documentos. Y, sin excepción, tienen un común denominador. Fueron pedidos a intervalos cortos. Primero por Fovel, luego por Prada, y viceversa. Lo hicieron invariablemente en un mismo orden, empezando y terminando en el *Apocalypsis Nova*. Lo primero que sospeché al hojearlos fue que estaba ante un par de locos de la alquimia, unos buscadores de la piedra filosofal que tal vez habían logrado destilar alguna clase de elixir para prolongar la vida.

—¿Y... ya no lo cree?

—No, no es eso. Que lo que les interesaba era la alquimia es un hecho. Pero a juzgar por los escritos, da la impresión de que también han buscado desarrollar ciertas visiones metafísicas con las que acometer sus experimentos. Lo entendí en cuanto encontré entre sus peticiones los libros de nuestro *doctor illuminatus*, Raimundo Lulio, el alquimista y médico más genial del siglo XIII. Lulio desarrolló sus fórmulas a partir de esa clase de visiones y las dejó por escrito en documentos que sólo se conservan entre estos muros. Mi sospecha es que, como él, Fovel y Prada han estado buscando su propia fórmula para traspasar el umbral entre este mundo y el otro. ¿Y sabes qué creo? Que al menos uno lo ha logrado, Fovel, mientras que el otro ha estado acechándolo para arrebatarle ese «acceso». Esa «llave».

Medité aquella idea sin fuerzas para rebatirla.

—Entonces, padre, ¿qué papel tendrían en esa carrera los cuadros? —fue cuanto logré argumentar—. ¿Por qué cree que les prestan tanta atención?

—Oh... Eso. El *Apocalypsis Nova* lo explica muy bien, hijo mío. De hecho, ya te lo dije cuando nos conocimos. El beato Amadeo dejó por escrito que cuando llegaran tiempos de tribulación ciertas pinturas serían capaces de obrar milagros, actuando como puertas entre el más allá y el más acá. Y si los viejos libros de la tradición hermética están en lo cierto, quienes consiguen acceder a la *Gran Obra* de los alquimistas no sólo poseen el elixir de la vida, sino que también gozan del arte de la invisibilidad, nunca permanecen en el mismo lugar durante demasiado tiempo y aprenden a comunicarse con el «otro mundo».

—Pero...

—No importa que tú y yo creamos o no en esa clase de cosas —me atajó adelantándose de nuevo a mis palabras—. Lo que cuenta es que ellos sí lo hacen.

—De acuerdo, padre —acepté—. Pero ese planteamiento deja otra pregunta importante sin responder. ¿Por qué si Fovel guarda para sí un secreto de esa naturaleza ha estado estas semanas aleccionándome en el Museo del Prado y mostrándome esas pinturas especiales? ¿Por qué a mí?

¿Por qué iba a situarme en un camino que podía poner en peligro su anonimato?

El viejo agustino se removió en el banco de madera, acariciándose el mentón. Entonces su rostro se iluminó.

—Para comprender eso, sólo puedo recurrir al «factor rosacruz».

Torcí el gesto.

—Los rosacruces —aclaró— fueron una sociedad iniciática que emergió en el siglo XVII y que atrajo a intelectuales y librepensadores de todo signo. Hoy se les da por extintos, y los que aún se presentan como tales tienen la misma legitimidad que los neotemplarios o los neocátaros. Esto es, ninguna. Lo interesante es que al comienzo sus miembros hablaban de que la fraternidad había sido impulsada por un grupo de «maestros» o «superiores desconocidos», encabezados por cierto Christian Rosenkreutz. Ese hombre logró alcanzar una longevidad extraordinaria para su tiempo, pero no la inmortalidad al estilo de la que mencionan los taoístas, los yoguis del Himalaya, ese imán oculto desde el siglo XII en Irak que los chiitas creen que reaparecerá ahora para combatir al Anticristo o los clásicos héroes del Grial. No. Rosenkreutz, o comoquiera que se llamase de verdad, vivió más de cien años y custodió con todo cuidado la «ciencia total» o «medicina suprema» que le hizo romper todas las barreras biológicas conocidas. Parece que cuando ese hombre superó el siglo de vida se dedicó a formar discípulos que, con el tiempo, transmitirían de generación en generación su fórmula de la prolongación de la vida. Ésos son los verdaderos rosacruces. Y probablemente Fovel y De Prada sean dos de ellos. A los hombres de su clase los aficionados a la alquimia siempre los llamaron «los invisibles». Y de ellos se ha dicho que entre sus objetivos estuvo también el de empujar a Occidente a una revolución científica y social que hiciera aceptable ese elixir sin provocar el caos.

—Pero ¿de veras cree usted que...?

El padre Juan Luis no dejó que le interrumpiera.

—Lo curioso, hijo, es que esta clase de «maestros» emergen al parecer cada cien o ciento veinte años, siembran su semilla intelectual en algunos elegidos con la esperanza de que ayuden a evolucionar al mundo, y se desvanecen después hasta el próximo ciclo histórico. Siguiendo sus intervenciones, es posible descubrir su influencia entre los primeros cristianos gnósticos, los herejes arrianos, los cátaros o la Familia del Amor. Así pues, ¿por qué no pensar que tu doctor del Prado, tan ducho en esas viejas sectas, es uno de esos maestros desconocidos que ha emergido de las sombras para seguir cosechando custodios de su secreto?

—No sé...

—Soy ya un hombre anciano, hijo mío. He leído mucho sobre este particular en los libros de esta santa casa y creo que resulta obvio lo que está pasando aquí —añadió—: uno de esos maestros desconocidos te ha elegido como depositario de sus conocimientos. O al menos como candidato a ello. Como buen guía, no te lo está mostrando todo; sólo te enseña a mirar, te provee de las pautas para que descifres los mensajes de otros «superiores desconocidos», en este caso en el arte pictórico, y, cuando considere que esa capacidad ya obra en tu poder, se esfumará para que completes tu formación con tu propio esfuerzo durante un periodo de tiempo que suele ser largo. Luego, en algún momento, regresará para revelarte tu cometido y hacerte saber que ya formas parte de su correa de transmisión. Los de su estirpe lo hacen así desde hace siglos. Desaparecen siempre antes de que sus pupilos averigüen quiénes son en realidad. Se trata de hombres de apariencia normal, que a veces hacen predicciones, que saben lo que otros dicen de ellos, que se esfuman sin avisar y que, como te he contado, nunca permanecen demasiado tiempo en el mismo sitio.

—Pero ¡eso es absurdo! —objeté, aun reconociendo muchos de esos rasgos en el maestro Fovel—. ¿Por qué iba alguien así a elegirme a mí? No soy un experto en pintura, padre. Ni siquiera estoy familiarizado con el Prado o con su ambiente. Si Luis Fovel es lo que usted insinúa, se ha equivocado conmigo. Se ha confundido al elegir su pupilo.

El agustino sacudió la cabeza.

—A ver, hijo: ¿cuántas veces te has encontrado ya con él? ¿Tres? ¿Cuatro?

—Cinco, padre.

—Entonces, créeme, no tenemos tiempo que perder —dijo con un extraño brillo de impaciencia en la mirada—. Estos maestros se manifiestan muy de tarde en tarde. Si queremos confirmar su verdadera identidad, debes ir a buscarlo cuanto antes, abordarlo de frente y exigirle que te desvele quién es y a quién o a qué sirve. Si lo acorralas, te lo contará.

—¿Exigirle? ¿Acorralarlo? —Una sensación de angustia contagió mi voz—. Pero ¿cómo?

—Dile que has encontrado esto.

Vi cómo el padre Castresana sacaba entonces de sus hábitos una hoja plegada de un finísimo papel descolorido y me la tendía.

—¿Qué es, padre?

—Un acertijo. Una pista escrita de puño y letra de tu maestro.

Desdoblé el documento con cautela. Estaba escrito con la misma caligrafía pulcra y estilizada que había visto en las microfichas del «tipi», sobre una cuartilla de papel biblia que olía a viejo.

—¿Có... cómo ha llegado a usted?

—Fovel y Prada utilizaron los libros de esta biblioteca como buzones para intercambiarse mensajes. Eso explica por qué sus solicitudes de lectura se redujeron siempre a un pequeño número de volúmenes. El caso es que, por alguna razón, este texto nunca llegó a su destinatario y quedó olvidado entre las páginas de un tratado de astrología. Lo encontré esta mañana, por casualidad, mientras revisaba hoja por hoja los títulos que consultaron.

Miré el escrito sin saber qué decir.

—Ha sido una verdadera suerte —sonrió.

—¿Y no hay más?

—No, de momento. ¿Por qué crees que he mandado llevar todas las referencias que consultaron a mi despacho? Ese papel estaba en un libro que Luis Fovel solicitó en 1970 y que Julián de Prada no llegó a pedir. A mí me parece una advertencia. Como si tu maestro quisiera pararle los pies a su competidor, desafiándolo al mismo tiempo para que descubriera su identidad.

El padre Juan Luis se agarró entonces a mis brazos y con voz exultante añadió:

—Cuando vea que tú has recogido este mensaje y que has sido capaz de interceptar su juego, estarás en posición de pedirle las explicaciones que necesitamos.

—Pero ¿cree que me las dará?

—Por supuesto. Léelo con calma y te convencerás tanto como yo. Estoy seguro de que, si te presentas ante él con esto y le haces ver que estás a punto de averiguar su verdadera naturaleza, se sincerará contigo. En ese momento preferirá darte su versión.

—Es usted muy optimista, padre.

—Soy cabal, hijo, no optimista. Yo en su lugar actuaría así. ¿Sabes? Ningún profano, en siglos, ha llegado tan cerca como tú al secreto de los rosacruces.

Epílogo

—

¿EL ÚLTIMO ACERTIJO?

Éstas son, muy a mi pesar, las últimas líneas de este diario del Prado.

Tras aquella visita al monasterio de El Escorial y mi encuentro con el padre Castresana, me faltó tiempo para retornar al museo en busca del maestro Fovel e intentar ponerlo frente al papel del agustino. ¿Era posible que el «fantasma» Fovel fuera un rosacruz? ¿Un inmortal? ¿O quizá iba a encontrar una respuesta que ni una imaginación encendida como la mía era capaz de intuir? Estaba a sólo un paso de resolver el enredo del maestro del Prado. O eso creía. De hecho, cuando pisé otra vez sus salas me había aprendido de memoria el dichoso texto. Estaba formado por un puñado de versos simples, de significado ambiguo, que yo, sin querer y a fuerza de leerlos, había transformado en una cancioncilla machacona que me repetía con la esperanza de exprimirle algún arcano importante para poder utilizar contra el hombre del abrigo negro.

Pero fue en vano.

Para mi desesperación, el domingo 13 de enero el doctor Luis Fovel no se presentó en las salas del Museo del Prado y no pude entregarle mi «regalo». Tampoco lo hizo el martes siguiente. Ni el jueves, cuando regresé a buscarlo por tercera vez. El viernes, desanimado, pasé toda la tarde vagando de una planta a otra hasta la hora del cierre, pero

297

tampoco entonces se presentó. En todo ese tiempo llegué a implorar al cielo para que bien él o bien Julián de Prada me abordaran como lo habían hecho antes y me dieran la oportunidad de hacerles al menos una pregunta.

Nada ocurrió.

En aquellas frustrantes jornadas sólo mantuve contacto telefónico con el padre Juan Luis, que no dejó de animarme para que perseverara.

—Algo pasa —protesté—. El maestro nunca ha tardado tanto en aparecer.

—No importa. Llegará. Tú insiste. ¡Búscalo!

Pero el viejo agustino estaba equivocado.

Y su opinión, por cierto, se tornó irreversible el 31 de enero. Yo llevaba toda esa semana yendo también al museo. Acudía al Prado después de clase. Me llevaba los apuntes del día y allí, sentado en los bancos de la sala A, los organizaba vigilando de reojo a cualquier visitante de abrigo negro que pasara a mi lado. Fue una pérdida de tiempo. Al fin, cuando aquel último jueves de enero llamé a El Escorial para dar cuenta de mi previsible fracaso, una voz desconocida descolgó el auricular, desbaratando aquel universo de *Alicia en el país de las maravillas* en el que me encontraba. Fue como si el suelo se hundiera bajo mis pies, arrastrando consigo todo lo vivido en aquellos dos meses.

—El padre Castresana ha fallecido esta madrugada —dijo esa voz, que parecía contrita—. Lo siento. ¿Era usted alumno suyo?

Colgué sin responder.

Nunca me había sentido tan impotente.

De la noche a la mañana no sólo me había quedado sin el maestro del Prado, sino que acababa de perder también a la única persona con la que había compartido la intrahistoria de aquella peripecia. Y el dolor por la muerte del buen padre Castresana se me aferró al alma como si fuera un espino.

Entre tanto, y para terminar de acentuar mi sensación de soledad, Marina y yo no volvimos a hablar de aquello. De hecho, casi ni nos vimos de nuevo. Ella comenzó a salir con un muchacho cuatro años mayor que nosotros, y yo... Yo, la verdad, triste y desorientado, me dediqué a curiosear en otros menesteres, a estudiar mi carrera y a seguir preparando reportajes para mi revista.

Durante algún tiempo más luché por dominar los periódicos accesos de ira que me provocaba aquella situación. Cada vez que hacía memoria de cómo había empezado todo y me repetía la sentencia de que «el buen maestro llega cuando el alumno está preparado», me encolerizaba, frustrado por no comprender la razón por la que uno de ellos me había elegido para poco después abandonarme a mi suerte. En suma, me costaba aceptar que Fovel se hubiera esfumado sin darme la oportunidad de verlo por última vez.

Y así, poco a poco, erosionados por el ímpetu del tiempo, Luis Fovel y el texto de su acertijo fueron cayendo en el olvido de mis cuadernos de notas. Sólo Dios sabe por qué me he visto empujado a recuperarlos ahora y compartirlos con quien haya llegado hasta esta penúltima página. Veinte años más tarde, sigo ignorando la razón profunda por la que me tocó vivir todo aquello. Aunque ahora, al hacer público mi secreto por escrito, albergo la esperanza de que alguien encuentre un sentido al rompecabezas que el padre Juan Luis me confió en El Escorial la última vez que lo vi. Quién sabe. Tal vez el paciente lector logre dar de nuevo con el misterioso maestro del Prado y lo aborde con la duda que yo no fui capaz de formularle.

Si eso ocurriese, por favor, avíseme.

Hoy por hoy, aquellas líneas olvidadas dentro de un viejo libro de la Biblioteca de El Escorial son cuanto me queda para defender que mis encuentros con él no fueron un sueño:

No me persigas.
Tengo la llave.
Mi nombre anhelas
ignorando su clave.

Guardo los cuadros
desde el inicio.
Entre ellos, aclaro,
está mi principio.

Aunque revientes
seguiré desgarrando
con uñas y dientes
el velo nefando.

Bosco, Brueghel, Tiziano,
Goya, Velázquez, Giordano.
Todos han ido en pos
del gran deseo mundano.

Afronta la muerte.
Arranca tus vendas.
Confía en la suerte
y haré que comprendas.

NOTAS

—

1. Sínodo de Arras, capítulo XIV, en *Sacrorum Nova et Amplissima Collectio*, ed. de J. D. Mansi, París y Leipzig, 1901. Citado por Alberto Manguel, *Leer imágenes*, Alianza, Madrid, 2000, p. 151.

2. Citado por David Freedberg, «Apolo, David, santa Cecilia: música y pintura en algunas obras de Poussin en el Prado», en VV.AA., *Historias inmortales*, Galaxia Gutenberg/Círculo de Lectores, Barcelona, 2002, p. 240.

3. Juan Rof Carballo, *Los duendes del Prado*, Espasa-Calpe, Madrid, 1990, p. 80.

4. Ramón Gaya, *El sentimiento de la pintura*, Arión, Madrid, 1960, p. 167.

5. Lucas 1, 5-25.

6. El doctor Fovel se refiere a *La Visitación* (ca. 1517), tabla pintada por Giulio Romano y Giovanni Battista Penni sobre un diseño de Rafael.

7. Lucas 1, 39-45.

8. Santa Teresa lo dijo en términos parecidos: «Esta visión, aunque es imaginaria, nunca la vi con los ojos corporales, ni ninguna, sino con los ojos del alma» (*Libro de la vida*, 28, 4).

9. Léase el capítulo de Josephine Jungic, «Prophesies of the Angelic Pastor in Sebastiano del Piombo's Portrait of Cardinal Bandinello Sauli and Three Companions», en Marjorie Reeves (ed.), *Prophetic Rome in the High Renaissance Period*, Oxford University Press, Oxford, 1992.

10. La propuesta fue de un antiguo director del Museo del Prado, Diego Angulo, oponiéndose a otras propuestas tampoco

confirmadas que han pretendido identificarlo con Juan de Silva, marqués de Montemayor y notario mayor de Toledo.

11. Josephine Jungic, op. cit.

12. Édouard Schuré, *Les prophètes de la Renaissance*, Perrin, París, 1920, p. 181 (existe versión en español: *Leonardo da Vinci y los profetas del Renacimiento*, Abraxas, Barcelona, 2007, p. 162).

13. La sorprendente historia de las versiones de *La Virgen de las Rocas* ocupó todo un capítulo de mi libro *La ruta prohibida*, Planeta, Barcelona, 2007, p. 285.

14. Giorgio Vasari, *Las vidas de los más excelentes arquitectos, pintores y escultores italianos desde Cimabue a nuestros tiempos*, Cátedra, Madrid, 2002, p. 524.

15. Ibídem, p. 525.

16. Benjamin Blech y Roy Doliner, *Los secretos de la Capilla Sixtina*, Aguilar, Madrid, 2010, p. 52.

17. No hay consenso en esa identificación. Otros intérpretes de la obra ven incluso a Arquímedes o a Pitágoras.

18. Esta peculiar idea ha sido subrayada por algunos expertos en la figura del beato Amadeo y su tiempo, pero más recientemente por Martijn van Beek, «The Apocalypse of Juan Ricci de Guevara. Literary and iconographical artistry as mystico-theological argument for Mary's Inmaculate Conception in *Immaculatae Conceptionis Conclusio* (1663)», en el *Anuario del Departamento de Historia y Teoría del Arte de la Universidad Autónoma de Madrid*, 22 (2010), p. 220.

19. Contrato fechado el 25 de abril de 1483 y redactado por el notario Antonio de Capitani. Se trata del primer documento que confirma la llegada de Leonardo a Milán.

20. De 1454 a 1457.

21. *Pseudomateo*, cap. XVIII, menciona el episodio de la cueva en la que se detiene la Sagrada Familia camino de Egipto, pero sin citar explícitamente a Juan.

22. BNE, ms. 8936, f. 3r.

23. Pier Carpi, *Las profecías del papa Juan XXIII*, Martínez Roca, Barcelona, 1977, p. 55.

24. Ibídem, p. 104.

25. Ibídem, p. 127.

26. Así lo describirá años después Christian Jacq en *El iniciado*, Martínez Roca, Barcelona, 1998, p. 15.

27. Por si esto fuera poco, a Tomás la tradición cristiana lo llama también *Dídimo*, que en griego vuelve a significar «gemelo».

28. En sus *Estudios sobre iconología* (Alianza, Madrid, 1972, p. 189), el erudito Erwin Panofsky definió a la Academia Platónica de Florencia como «un grupo selecto de hombres reunidos por la mutua amistad, un gusto común por el ingenio y la cultura humana, una veneración casi religiosa hacia Platón y una exaltada admiración por un sabio bondadoso y amable, Marsilio Ficino». No se me ocurre mejor síntesis de lo que fue el lugar en el que se plantó la semilla del Renacimiento.

29. Marsilio Ficino, «On the Platonic Nature. Instructions and function of the Philosopher», en *Meditations on the Soul*, Inner Traditions International, Rochester, VT, 1996, p. 88.

30. Véase mi novela *Las puertas templarias* (Martínez Roca, Barcelona, 2000) para un desarrollo completo, en clave de ficción, de esta idea.

31. Manuel Ríos Mazcarelle, *Savonarola: una tragedia del Renacimiento*, Merino, Madrid, 2000, p. 132.

32. Marsilio Ficino, *In Platonis Alcibiadem Epitome*, bibl. 90, p. 133: «Est autem homo anima rationalis, mentis particeps, corpore utens.»

33. Marsilio Ficino, *Theologia Platonica*, III, 2, bibl. 90, p. 119.

34. Llegué incluso a publicar un artículo con las notas de aquel trabajo: «Las profecías y la guerra», en la revista *Más Allá de la Ciencia*, en un número monográfico sobre la guerra del Golfo, en marzo de 1991, pp. 30-35.

35. «Paiporta: los ángeles y el *Libro de las dos mil páginas*», en la revista *Más Allá*, 14 (abril de 1990). Págs. 76-83. También recogí parte de su historia en un libro que escribí años más tarde con Jesús Callejo, *La España extraña*, DeBolsillo, Barcelona, 2007, pp. 239-242.

36. Tomás de Aquino, *Suma Teológica*, parte I, cuestión 51, objeción 3.

37.   Romano Giudicissi y Maribel García Polo, *Los dos niños Jesús: historia de una conspiración*, Muñoz Moya y Montraveta, Cerdanyola del Vallès, 1987.

38.   Ibídem, p. 25.

39.   Esta idea se desarrolla plenamente en Giorgio I. Spadaro, *The Esoteric Meaning in Raphael's Paintings*, Lindisfarne Books, Great Barrington, MA, 2006.

40.   Carta de Victorino Novo y G. M. Curros, en *El Heraldo Gallego* del 18 de julio de 1876.

41.   VV. AA., «Corona fúnebre a la memoria del inspirado escritor y poeta gallego Teodosio Vesteiro Torres», *El Correo Gallego*, Orense, 1877.

42.   Francesc Cambó, *Memorias (1876-1936)*, Alianza, Madrid, 1987, p. 403.

43.   David Cast, «Boccaccio, Botticelli y la historia de *Nastagio degli Onesti*», en VV. AA., *Historias inmortales*, Galaxia Gutenberg, Barcelona, 2002, p. 74.

44.   Eso sucedió hacia 1478. El lugar se llamó La Enseña de las Tres Ranas de Sandro y Leonardo, y al parecer ambos artistas llegaron a diseñar a medias el cartel del local, hoy perdido.

45.   Giorgio Vasari, op. cit., p. 414.

46.   El primero en establecer la relación entre ese sermón (que conocemos sólo por referencias) y el cuadro fue John Pope Hennessy, *Sandro Botticelli, the Nativity in the National Gallery*, The Gallery Books, Londres, 1947, p. 8.

47.   En el original,
ΤΑΥΤΗΝ ΓΡΑΦΗΝ ΕΝ ΤΩΙ ΤΕΛΕΙ ΤΟΥ Χ ΣΣΣΣ ΕΤΟΥΣ ΕΝ ΤΑΙΣ ΤΑΡ[ΑΧ]ΑΙΣ ΤΗΣ ΙΤΑΛΙΑΣ Α ΛΕΞΑΝΔΡΟΣ ΕΓΩ ΕΝ ΤΩΙ ΜΕΤΑ ΧΡΟΝΟΝ ΗΜΙΧΡΟΝΩΙ ΕΓΡΑΦΟΝ ΠΑΡΑ ΤΟ ΕΝΔΕΚ/ ΑΤΟΝ ΤΟΥ ΑΓΙΟΥ ΙΩΑΝΝΟΥ ΕΝ ΤΩΙ ΑΠΟΚΑΛΥΨΕΩΣ ΒΩΙΟΥΑΙ ΕΝ ΤΗΙ ΑΥΣΕΙ ΤΩΝ Γ ΚΑΙ ΗΜΙΣΥ ΕΤΩΝ ΤΟΥ ΔΙΑΒΟΛΟΥ ΕΠΕΙΤΑ ΔΕΣΜΟΘΗΣΕΤΑΙ ΕΝ ΤΩΙ ΙΒΩΙ ΚΑΙ ΒΛΕΨΟΜΕΝ ... ΝΟΝ ΟΜΟΙΟΝ ΤΗΙ ΠΡΑΦΗΙ ΤΑΥΤΗΙ.

48.   Así lo reflejó en su obra *Convivio de' segreti della Scriptura Santa* (publicado hacia 1508).

49.	Marjorie Reeves, *The Influence of Prophecy in the Later Middle Ages*, Oxford University Press, Oxford, 1969, p. 438.

50.	John Dee es uno de los personajes históricos esenciales de mi novela *El ángel perdido*, Planeta, Barcelona, 2011. A ella remito a los lectores que deseen saber más de este hombre.

51.	Cuadros suyos son *Orillas del Azañón* (1858), *Desembocadura del Bidasoa* (1865), *Torre de las Damas* (1871), *Alcalá de Guadaira* (ca. 1890) y su magnífico *Vista de Venecia* (ca. 1900).

52.	Véase mi libro *La ruta prohibida y otros enigmas de la Historia*, Planeta, Barcelona, 2007, donde hablo de esta cuestión.

53.	Instrucciones de Carlos V a Felipe II, Ausgburgo, 18 de enero de 1548. Citadas por Manuel Fernández Álvarez en *Carlos V, el César y el hombre*, Espasa, Madrid, 1999, p. 705.

54.	Juan de Mariana, *Historia de España*, tomo VII, libro V, Francisco Oliva Impresor, Barcelona, p. 497.

55.	Citado por Gabriele Finaldi en «*La Gloria* de Tiziano», en VV. AA., *Tiziano y el legado veneciano*, Galaxia Gutenberg, Barcelona, 2005, p. 115.

56.	La armadura de acero y oro con la que posó Carlos V para este cuadro se conserva, por cierto, en la armería del Palacio Real de Madrid. Y si se compara con el retrato, se verá hasta qué punto fue fiel Tiziano a la realidad.

57.	Juan 19, 34-37: «Pero uno de los soldados le traspasó el costado con una lanza, y seguidamente salió sangre y agua. Y el que lo vio da testimonio, y su testimonio es veraz, él sabe que dice la verdad, para que vosotros creáis. Pues todo esto sucedió para que se cumpliera la Escritura: "No se le romperá hueso alguno." Y también la Escritura dice: "Verán al que traspasaron."»

58.	Una buena recopilación de estos mitos se encuentra en la obra de Trevor Ravenscroft *El pacto satánico*, Robinbook, Barcelona, 1991.

59.	Buenos ejemplos son el *Sacro Catino* de Génova, un plato hexagonal recuperado en la primera cruzada en Cesarea Marítima, entre las modernas Tel Aviv y Haifa; un vaso de mármol custodiado en la catedral de Troyes, Francia, destruido durante la Revolución francesa; el cáliz de O Cebreiro, en el Camino de

Santiago, que justifica la aparición del Grial en el escudo de Galicia; o el Cáliz de Ardagh, una pieza de orfebre ya fechada en el siglo VIII. Otros creen que aún yace enterrado en la capilla de Rosslyn, a las afueras de Edimburgo, o en Oak Island, e incluso en Glastonbury, todos ellos lugares sin demasiado fundamento histórico para albergar la preciada reliquia.

60. Antonio Beltrán, *Estudio sobre el Santo Cáliz de la catedral de Valencia*, Instituto Diocesano Valentino Roque Chabás, Valencia, 1984.

61. Fue el 8 de noviembre de 1982. Más recientemente, Benedicto XVI volvió a hacerlo el 8 de julio de 2006.

62. Se han inventariado una veintena de estos Salvadores eucarísticos que De Juanes y su taller repitieron a lo largo de los años. Además de los dos conservados en el Museo del Prado (uno, el del cáliz convencional, procede de Fuente la Higuera, y se cree que fue el primero que pintó el artista; en el otro aparece ya el Grial de san Lorenzo), existen otros muy notables en el Ayuntamiento y en la Catedral de Valencia, en la parroquia de Sot de Chera (Valencia), en la parroquia de Jávea (Alicante), en el Szépművészeti Múzeum de Budapest, en el Museo Lázaro Galdiano de Madrid o en las colecciones John Ford de Londres y Grasses de Barcelona. En paradero desconocido (muchos seguramente destruidos en la guerra civil española) están los de Benimarfull (Alicante), Sueca (Valencia) y Segorbe (Castellón), y los de varias parroquias de la capital levantina. Casi todos mostraban el Santo Grial en manos de Jesús o frente a él.

63. Antonio Palomino, *El museo pictórico y escala óptica*, vol. 3: *El parnaso español, pintoresco y laureado*, Aguilar, Madrid, 1947, p. 88. La obra original, también en tres volúmenes, es de 1715-1724.

64. Barón de Alcalahí, *Diccionario biográfico de artistas valencianos*, F. Domenech, Valencia, 1897, p. 173.

65. Marcos Antonio de Orellana, «Biografía pictórica valenciana», edición preparada por Xavier de Salas, en *Fuentes literarias para la Historia del Arte español*, Madrid, 1930, p. 57.

66. Esta historia, mencionada por el pintor Francisco Pa-

checo, fue recogida por Richard Cumberland en su obra *Anecdotes of eminent painters in Spain*, vol. I, J. Walter, Londres, 1782, p. 149; y antes por el padre jesuita Juan Eusebio Nieremberg en *Firmamento religioso de luzidos astros en algunos claros varones de la Compañía de Iesús*, tomo 2, María de Quiñones, Madrid, 1644, p. 553.

67. Algunos historiadores se han referido siquiera brevemente a esta creencia del rey. Una referencia notable es el texto de Geoffrey Parker, *Felipe II: la biografía definitiva*, Planeta, Barcelona, 2010, p. 951.

68. Fray José de Sigüenza, *La fundación del monasterio de El Escorial*, Aguilar, Madrid, 1988, p. 367. La obra original es de 1605.

69. Juan Rof Carballo, op. cit., p. 153.

70. «Gens absque consilio est et sine prudentia. Utinam saperent et intelligerent ac novissima providerent.» Deuteronomio 32, 28-29.

71. «Abscondam faciem meam ab eis et considerabo novissima eorum.» Deuteronomio 32, 20.

72. No es una alucinación mía. De hecho, a *El jardín de las delicias* se la llama también «La pintura del madroño», quizá por alusión a ese detalle que ya debió de resultar inconfundible para los habitantes del Madrid de Felipe II. De hecho, cuando el rey se hizo con ella en 1593 y la envió a engrosar su colección de El Escorial, en el libro de entregas del monasterio figura como «una pintura de la variedad del mundo, que llaman del Madroño». A nadie se le escapa que el oso y el madroño era, desde la batalla de las Navas de Tolosa (1212), el emblema por el que se reconocía a los habitantes de esta zona de la península Ibérica. Por qué está entonces ahí ese símbolo es un misterio de este cuadro. Uno más.

73. Génesis 1, 18.

74. Wilhelm Fraenger, *Hieronymus Bosch: Il Regno Milenario*, Abscondita, Milán, 2006, pp. 82-83.

75. Epifanio de Salamis, *Panarion (Adversus haereses)*, LXXII.

76. Agustín de Hipona, *De haeresibus*, XXXI.

77. El último en recoger esta idea ha sido Hans Belting, *El jardín de las delicias*, Abada, Madrid, 2012, p. 71 y ss.

78. Domenicus Lampsonius, *Pictorum aliquot celebrium Germaniae inferiores effigies*, Hieronymus Cock, Amberes, 1572.

79. Wilhelm Fraenger, op. cit., p. 84.

80. Manuel Fernández Álvarez, *Felipe II*, Espasa, Madrid, 2010, p. 505. Esos cuernos, según los inventarios, fueron vendidos en 1603.

81. En 1990, según el *Boletín del Museo del Prado* (tomo XI, n.º 29, p. 117), la pinacoteca madrileña recibió la entonces cifra récord de 2.529.995 visitantes.

82. H. Stein-Schneider, «Pieter Brueghel. Peintre hérétique. Illustrateur du message familiste», en *Gazette des Beaux-Arts*, LVII (1986), pp. 71-74.

83. Puede consultarse una edición reciente: Karel van Mander, *Het Schilderboek*, Wereldbibliotheek, Ámsterdam, 1995.

84. Charles de Tolnay, *Pierre Brueghel l'ancien*, 2 vols., Nouvelle Société d'Éditions, Bruselas, 1935.

85. Alaistair Hamilton, *The Family of Love*, James & Clark, Cambridge, 1981, p. 37.

86. Un resumen completo de ese mito se encuentra en mi libro *En busca de la Edad de Oro*, Plaza & Janés, Barcelona, 2006, p. 50 y ss.

87. H. Stein-Schneider, «Une secte néo-cathare du 16e siècle et leur peintre Pieter Brueghel l'Ancien», en *Cahiers d'Études Cathares*, vol. 36, 105 (1985), pp. 3-44.

88. Lynda Harris, *The Secret Heresy of Hyeronimus Bosch*, Floris Books, Edimburgo, 1995.

89. Años después de esta conversación, el 19 de mayo de 2002, Juan Pablo II canonizó a Alonso de Orozco, incluyéndolo en el santoral.

90. Alonso de Orozco, *Confesiones del beato Alonso de Orozco del Orden de Ermitaños de N. P. San Agustín*, libro 1, capítulo 6, Imprenta de Amigos del País, Manila, 1882, p. 14.

91. Richard G. Mann, *El Greco and his Patrons: Three Major Projects*, Cambridge University Press, Cambridge, 1989. Existe traducción al español: *El Greco y sus patronos*, Akal, Madrid, 1994.

92. El maestro se refiere a un cuadrito de 26 × 20 cm, pinta-

do hacia 1570 por el Greco, en el que puede verse al arcángel Gabriel extendiendo un brazo hacia María mientras le anuncia que va a ser madre.

93. Éxodo 3, 2-5.

94. Ricardo Jorge, «Nova contribução biográfica, crítica e médica no estudo do pintor Doménico Theotocopuli», *Revista da Universidade de Coimbra*, I, 4 (1912).

95. Elías Tormo y Monzo, conferencias pronunciadas en el Ateneo de Madrid, 7, 21 y 28 de abril de 1900. Recogidas en José Álvarez Lopera, *De Ceán a Cossío: la fortuna crítica del Greco en el siglo XIX*, Fundación Universitaria Española, Madrid, 1987, vol. II, pp. 489-490.

96. Juan Sánchez Gallego, *Esoterismo en la pintura de El Greco: el entierro del Conde de Orgaz*, Rosa Libros, Sevilla, 2006.

ÍNDICE ALFABÉTICO

Beatriz de Silva, santa: 65, 66.
Bécquer, Gustavo Adolfo: 19, 151, 152, 155.
Beek, Martijn van: 302.
Belting, Hans: 307.
Beltrán, Antonio: 306.
Benedicto XVI, papa: 306.
Bergognone, Ambrogio: 103-105.
Bergson, Henri: 101.
Bernardino, Pietro: 139.
Berruguete, Pedro: 81, 82.
Biblia regia (Políglota de Amberes): 244, 261, 265.
Biblia: 24, 25, 32, 33, 39, 40, 44, 45, 88, 90, 95, 96, 98, 133, 163, 211, 216, 218, 237, 244, 263, 265.
Biblioteca Nacional, Madrid: 64, 69.
Bini, familia: 131.
Bini, Lucrezia: 131.
Blech, Benjamin: 47, 50, 302.
Boccaccio, Giovanni: 124, 127-131, 304.
Borrachos, Los: 257.
Borromeo, Federico, cardenal: 240, 242.
Bosco, Hieronymus van Aken, el: 211-234, 237, 240, 242, 243, 245, 247, 249, 257, 258, 266, 289, 290, 300, 307.
Bosé, Lucía: 83, 93-111, 117, 128, 145.
Bosé, Miguel: 94.
Botticelli, Sandro: 76, 123-140, 304.
Bramante, Donato: 47, 50, 84.
Brueghel, Jan, el Joven: 240, 242.
Brueghel, Pieter, el Viejo: 235-256, 258, 262, 265, 289, 290, 300, 308.
Bruno, Giordano: 140.
Bruto: 20.

Caballero de la mano en el pecho, El: 33, 34, 301, 302.
Cahiers d'Études Cathares: 265, 308.

Caída de los ángeles rebeldes, La: 243.
Cáliz de Ardagh: 305, 306.
Cáliz de O Cebreiro: 305, 306.
Callejo, Jesús: 303.
Cambó, Francesc: 123, 124, 304.
Canon de los Arcanos, el arcanon del Prado: 16, 170-172, 181, 218, 219, 260, 280, 297.
Cantigas de santa María: 284.
Cantor, Aegidius: 226.
Capilla Sixtina, Palacio del Vaticano: 47, 276, 302.
Capitani, Antonio de: 67, 302.
Cardenal Bandinello Sauli, su secretario y dos geógrafos: 32-36.
Carlomagno, rey de los francos y emperador de Occidente: 174-177, 283, 284.
Carlos V, emperador del Sacro Imperio romano germánico, el César: 120, 149-181, 198, 199, 208, 210, 211, 267, 283, 284, 305.
Carlos V, el César y el hombre: 159, 305.
Carlos V con un perro: 163.
Carlos V en la batalla de Mühlberg: 163, 171-181.
Carlos V y el Furor: 120, 160.
Carlos VIII, rey de Francia: 133.
Carpi, Pier: 74, 75, 77, 302, 303.
Carro de heno, El: 215.
Caso, El: 114.
Cast, David: 128, 304.
Castresana, Juan Luis, padre: 58-70, 199, 277-300.
Ceán a Cossío, De: la fortuna crítica del Greco en el siglo XIX: 275, 276, 309.
Cena secreta, La: 16, 17.
Cervantes, Miguel de: 33, 34.
Churchill, Winston: 203.
Cicerón, Marco Tulio: 238, 239.
Cifuentes, Prior: 63.
Cisneros, Francisco Jiménez de, cardenal: 265.
Clemente VII, papa: 158, 159.

ÍNDICE

—

Impreso en
EGEDSA
Sabadell (Barcelona)